# Clic!

## Livre de l'étudiant

Renewed Framework

Danièle Bourdais
Sue Finnie

1 Plus

OXFORD
UNIVERSITY PRESS

Great Clarendon Street, Oxford OX2 6DP

Oxford University Press is a department of the University of Oxford. It furthers the University's objective of excellence in research, scholarship, and education by publishing worldwide in

Oxford New York

Auckland Cape Town Dar es Salaam Hong Kong Karachi Kuala Lumpur Madrid Melbourne Mexico City Nairobi New Delhi Shanghai Taipei Toronto

With offices in

Argentina Austria Brazil Chile Czech Republic France Greece Guatemala Hungary Italy Japan Poland Portugal Singapore South Korea Switzerland Thailand Turkey Ukraine Vietnam

Oxford is a registered trade mark of Oxford University Press in the UK and in certain other countries



First published 2008



British Library Cataloguing in Publication Data

Data available

ISBN-13: 978 0 19 912786 3

10 9 8 7 6 5 4 3 2 1

Printed in Spain by Cayfosa-Impresia Ibérica

Paper used in the production of this book is a natural, recyclable product made from wood grown in sustainable forests. The manufacturing process conforms to the environmental regulations of the country of origin.

**Acknowledgements**
The authors and publishers would like to thank the following people for their help and advice: Julie Green; Anna Lise Gordon; Sarah Provan; Rachel Sauvain; Marie-Thérèse Bougard; Teresa Adams; Christine Nicholson (Waseley Hills High School); Keisha Reid (International School and Community College); Audrey Elliott (Castle High School); Tricia Smith (Foxford School and Community Arts College); Ana Goncalves (Hall Green School); Joanne Naik (The King's CE School); Rachel Gill (Stamford High School); Stella Pearson (Our Lady's RC High School); Jane Baily (Wellacre Technology College); Elaine Kay (Altrincham College of Arts); John McStocker (Oulder Hill Community School); Sarah Allen (George Tomlinson School); Sarah Ward (Flixton Girls' High School); Joanne Roberts (Plant Hill Arts College); Helen Dougan (The Hollins Technology College); Becky King (Guildford County School); Alison Orr (Bishop Douglas School); Isabelle Strode (Castle View School); Helen Garcia (St Robert of Newminster School); Mrs J.M. Strong (Newport Free Grammar School); Barbara Thomas (Parmiters School); Robin Spencer (Howard of Effingham School); Claire Woolley (Royston High School); Chris Whittaker (Balby Carr Community School); Barbara Havarty (Crofton School); Ian Brown (The Holy Trinity CE School); Alan Woodhouse (Hamble Community Sports College); Jane Hegedus (Trinity School); Fiona Winstone (Bartholemew School); Tim Bee (Clarendon College); Alice Coupar (St Johns R.C. High School); Christine Buckland (The Thomas Hardie School); Annette Hull (Honiton Community College); Susan Bayliss (Latimer Community Arts College); Colette Thomson; Air-Edel Associates Ltd; Media Production Unit (University of Oxford)

The publishers would like to thank the following for permission to reproduce photographs:
10/11B Steve Porter/Alamy, 10/11D Rob Wilkinson/Alamy, 10/11E Charles & Josette Lenars/Corbis UK Ltd., 10/11F nagelestock.com/Alamy, 10/11G Art Kowalsky/Alamy, 10/11H Tim De Waele/Corbis UK Ltd., 10/11I Marion Bull/Alamy, 10/11J Ray Roberts/Alamy, 10/11K isifa Image Service s.r.o./Alamy, 10/11L Stephen Bardens/Alamy, 10/11M iStockphoto, 10/11N jez gunnell/iStockphoto, 10/11O Hemis /Alamy, 10/11P Martyn F. Chillmaid, 10/11Q G P Bowater/Alamy, 12 Tim De Waele/Corbis UK Ltd., 15E Martyn F. Chillmaid, 15F Directphoto.org/Alamy, 15J Martyn F. Chillmaid, 15K Robert Harding Picture Library Ltd/Alamy, 15L Martyn F. Chillmaid, 18l Peter Macdiarmid/Getty Images, 18r Alessandra Benedetti/Corbis UK Ltd., 19tl c.W.Disney/Everett/Rex Features, 19tr Kerim Okten/Epa/Corbis UK Ltd., 19c c.ABC/Everett/Rex Features, 19b PA Photos, 23l Stephane Cardinale/People Aven/Corbis UK Ltd., 23r Thierry Orban/Corbis UK Ltd., 24bl Kelly Cline/iStockphoto, 24bc Martyn F. Chillmaid 24br Bubbles Photolibrary/Alamy, 24t David Crausby/Alamy, 25bl Martyn F. Chillmaid, 25bc Hemis /Alamy, 25br Oxford University Press, 25t Martyn F. Chillmaid, 25c Martyn F. Chillmaid, 27tl nagelestock.com/Alamy, 27cl G P Bowater/Alamy, 27bl Art Kowalsky/Alamy, 27tr Martyn F. Chillmaid, 27cr Stephen Bardens/Alamy, 27br Marion Bull/Alamy, 27c Oxford University Press, 28/292 Martyn F. Chillmaid, 28/293 Dennis MacDonald/Alamy, 28/294 Martyn F. Chillmaid, 28/295 Christian Liewig/Corbis UK Ltd., 31 Issei Kato/Reuters/Corbis UK Ltd., 33 RubberBall/Alamy, 36 Chris Schmidt/iStockphoto, 43t David A. Barnes/Alamy, 43b Martyn F. Chillmaid, 46 Directphoto.org/Alamy, 55 Gideon Mendel For The International Hiv/Aids Alliance/Corbis UK Ltd., 58 Christian Liewig/Corbis UK Ltd., 641 Martyn F. Chillmaid, 643 Oxford University Press, 64/652 Christophe Boisvieux/Corbis UK Ltd., 64/654 Martyn F. Chillmaid, 66tl Kati Neudert/iStockphoto, 66bl Ana del Castillo/Shutterstock, 66tr Martyn F. Chillmaid, 66cr Liz Van Steenburgh/Shutterstock, 66br AVAVA/Shutterstock, 67tl Objectif Photos, 67cl Oxford University Press, 67bl OVIA IMAGES/Alamy, 67tc Oxford University Press, 67bc Martyn F. Chillmaid, 67tr Sergio Pitamitz/Corbis UK Ltd., 67cr Cephas Picture Library/Alamy, 67br blickwinkel/Alamy, 67c Oxford University Press, 68C JUPITERIMAGES/ Agence Images/Alamy, 68B Louie Psihoyos/Corbis UK Ltd., 68A Martyn F. Chillmaid, 68D David R. Frazier Photolibrary, Inc./Alamy, 68E DAVID NOBLE PHOTOGRAPHY/Alamy, 68F Martyn F. Chillmaid, 68G Photographers Direct/Spectrum Photofile Inc., 68H Bernard Girard, 68I David A. Barnes/Alamy, 68J Ian Shaw/Alamy, 69tl Martyn F. Chillmaid 69bl Martyn F. Chillmaid, 69tr Barry Mason/Alamy, 69br Chris Rose/Alamy 69tcl Peter Horree/Alamy, 69tcr charlie stroke/Alamy, 71cl Martyn F. Chillmaid 71l Martyn F. Chillmaid, 71cr Sipa Press/Rex Features, 71r Eastern photography/Alamy, 72 Archivo Iconografico, S.A./Corbis UK Ltd., 81tl Ian Shaw/Alamy 81cl Sergio Pitamitz/Corbis UK Ltd., 81bl DAVID NOBLE PHOTOGRAPHY/Alamy, 81tr OVIA IMAGES/Alamy, 81cr Martyn F. Chillmaid, 81br Oxford University Press, 81c Barry Mason/Alamy, 82t c.20thC.Fox/Everett/Rex Features 82b SNAP/Rex Features, 83 c.20thC.Fox/Everett/Rex Features, 88 Pictorial Press Ltd/Alamy, 89l David Higham Associates, 89r WARNER BROS./AKG Acoustics GmbH, 91l David Sacks/Riser/Getty Images, 91c peter dazeley/Alamy 91r Blend Images/Alamy, 95 Igor Burchenkov/iStockphoto, 1001 Nicoloso/Photocuisine/Corbis UK Ltd., 1002 iStockphoto, 1004 Juan Monino/iStockphoto 1005 Martyn F. Chillmaid, 1007 Marielle/Photocuisine/Corbis UK Ltd., 1008 Alain Couillaud/iStockphoto, 1013 Martyn F. Chillmaid, 1016 Martyn F. Chillmaid, 1019 Rick Rhay/iStockphoto, 1021 Alex Segre/Alamy, 1026 Martyn F. Chillmaid, 103t Martyn F. Chillmaid, 103c Martyn F. Chillmaid, 103b Westend61/Alamy, 103a The Anthony Blake Photo Library/Alamy, 103d Cathleen Clapper/iStockphoto, 103e Glenn Harper/Alamy, 103f iStockphoto, 107l F.subiros/Photocuisine/Corbis UK Ltd., 107r Martyn F. Chillmaid, 109 Oxford University Press, 111 Action Press/Rex Features, 112 Alain Couillaud/iStockphoto, 115tl PhotosIndia.com LLC/Alamy, 115bl Martyn F. Chillmaid, 115tr Directphoto.org/Alamy, 115br Confederation Nationale de la Boulangerie Francaise, 117 Martyn F. Chillmaid, 118 PA Photos, 118 Simon Barnett/Getty Images, 118 Associated Press/PA Photos, 118 KOWOC/Getty Images, 118 PA Photos, 119 PA Photos, 120 Associated Press/PA Photos, 120 Daniel Dempster Photography/Alamy, 120 Aflo Foto Agency/Alamy, 120 Robert Fried/Alamy, 120 Associated Press/PA Photos, 120 Oxford University Press, 120 Redlink/Corbis UK Ltd., 120 Hemis /Alamy, 121 Martyn F. Chillmaid, 121 Oxford University Press, 121 Glow Images/Alamy, 121 Martyn F. Chillmaid, 121 Alexey Avdeev/iStockphoto, 122tl Martyn F. Chillmaid, 122cl Martyn F. Chillmaid, 122bl Martyn F. Chillmaid, 122tr OJO Images Ltd/Alamy, 122br iStockphoto, 124tl Dennie Cody/Alamy, 124bl Marc Garanger/Corbis UK Ltd., 124tr Authors Image/Alamy, 124br Mark ZYLBER/Alamy, 125l De Agostini/Getty Images, 125r FAN travelstock/Alamy, 127 Sipa Press/Rex Features, 129tl FAN travelstock/Alamy, 129bl Michel Gounot/Godong/Corbis UK Ltd., 129tr Brian Atkinson/Alamy, 129br Jorgen Schytte/Still Pictures.

Location photography: Jules Selmes.
Cover photograph by Andy Day@Kiell.com

Kessia Beverley Smith: p 67, 77l, 104, 106, 107. 108, 113b, 114; Stefan Chabluk: pp14, 21t, 23, 66, 88, 95tm, tr, br, 113t; Bill Greenhead: pp 16, 85, 86, 92; 95tl,bl&m, 125; John Hallett: pp32, 38, 60, 87, 105, 126; Tim Kahane: pp 33; p34, 68, 77t. 78t; Nigel Paige: pp3, 9, 15, 21b, 50, 57, 75, 91, 93, 99, 103, 111; Tom Percival/Beehive Illustration: pp42; Pulsar/Beehive Illustration: p97; Q2A: pp 70; 72. 73, 78b; Anita Romero/Advocate: pp 79, 123.

All other artwork: Oxford University Press

# Bienvenue à 

Welcome to ***Clic!*** where you will

- learn to speak and understand French
- find out interesting facts about France, French-speaking countries and the people who live and work there
- develop strategies to help you with your learning.

**Meet Thomas, Manon, Alex, Yasmina and their friends (in this book and on the *Clic!* video).**

**Share their video blogs and find out more about them.**

Thomas

Manon

Alex

Yasmina

**Symbols and headings you will find in the book: what do they mean? Look through the book and find an example of each one.**

 Watch the video

 Be careful!

 A quick revision test to check what you have learnt

 A listening activity

 A speaking activity

**(B → A)** Now swap roles with your partner (in a speaking activity)

 A video activity

 A reading activity

 A writing activity

 A grammar activity

 A learning skills activity

 A challenge

Important words or phrases

| | |
|---|---|
| *Labo-langue* | Grammar explanations and practice, learning strategies and pronunciation practice |
| *Blog-notes* | Activities linked to video blog (in preparation for the checklist in the *En solo* Workbook) |
| *clic.fr* | Information about France |
| *Vocabulaire* | Unit vocabulary list |
| *On chante!* | A song |
| *Lecture* | Reading pages |
| *En plus* | Reinforcement and extension activities |
| *Grammaire* | Grammar reference |
| *Glossaire* | Bilingual glossary |

*Meet Toto. He'll provide useful tips and make you smile.*

# Table des matières

| Unit | Contexts | Language/Grammar | Strategies, pronunciation and culture |
|---|---|---|---|
| **4 Mon coin du monde** **Page 64** | Homes and regions; points of the compass; weather; seasons; weather forecasts; types of houses; town and country; rooms in a house; objects in a room | *dans le nord/est/sud/ouest; Il fait chaud,* etc. *Il y a du vent,* etc. *Il pleut/neige/gêle* *J'habite/Tu habites/Il/Elle habite* *en ville/à la campagne; à droite/à gauche/ en face/à côté/entre;* prepostitions of place | |
| Labo-langue **Page 74** | | Adjectives: position, agreement and exceptions | Learning strategies: techniques to improve listening skills Pronunciation: masculine v feminine adjectives |
| clic.fr **Page 79** | | | Facts about geography of France |
| **5 Ma famille** **Page 82** | Family and other people; family members; morning routines; describing appearance; describing personality | *Tu as des frères et sœurs?* *J'ai.../Je n'ai pas de...;* reflexive verbs *Je suis/Tu es/Il/Elle est* + adjective *J'ai les cheveux longs,* etc. | |
| Labo-langue **Page 92** | | Irregular verbs in the present tense; reflexive verbs | Learning strategies: using connectives to make longer sentences Pronunciation: *è* and *-ai* |
| clic.fr **Page 97** | | | French names |
| **6 On mange!** **Page 100** | Food and meals; eating out; ordering food or drink; recipes and quantities; high numbers; healthy eating | *Je vais au/à la/aux* + name of place *Je voudrais...* *C'est combien?* *Ça fait...* *Un kilo/litre de...* + food *du/de la/des* + food immediate future: *aller* + infinitive | |
| Labo-langue **Page 110** | | Prepositions *de* and *à* + determiners: *au/à la/aux,* quantities + *de* | Learning strategies: different ways to ask questions Pronunciation: intonation in question forms |
| clic.fr **Page 115** | | | French food facts |

# Départ En français

- Greetings

## Les langues

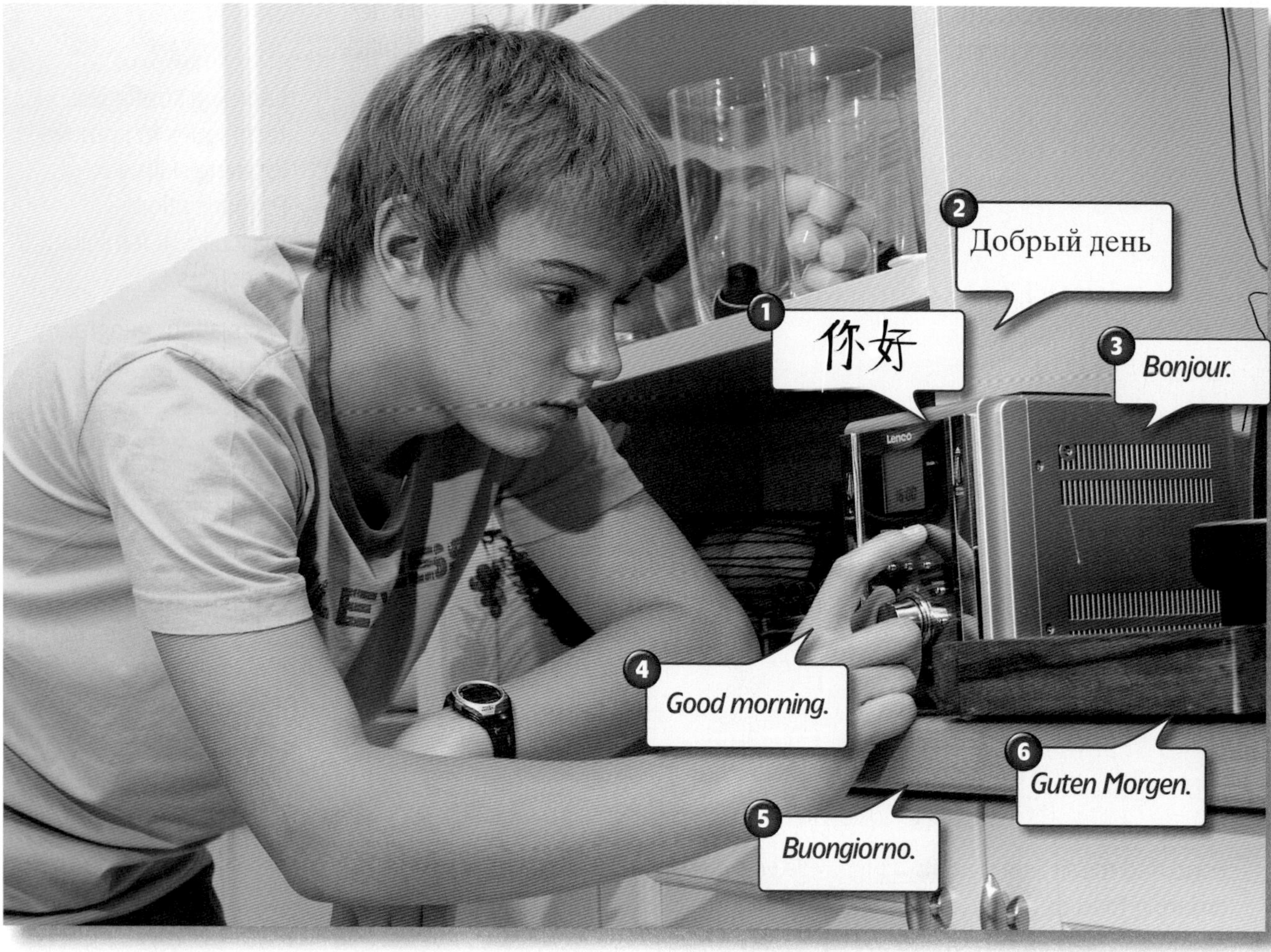

1 你好
2 Добрый день
3 Bonjour.
4 Good morning.
5 Buongiorno.
6 Guten Morgen.


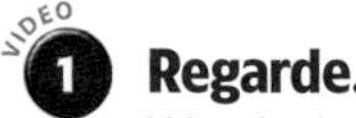

VIDEO
**1 Regarde.**
Watch the video. What languages do you hear?

- Chinese
- English
- French
- German
- Italian
- Russian

READING
**2 Relie.**
Match each bubble to a language.

Exemple **1** = *Chinese*

SPEAKING
**3 Explique.**
Do you know how to say 'hello' in another language? Tell the class.

SPEAKING
**4 Parle.**
Do a Mexican wave round the class, each person saying *Bonjour* in turn.

**5 Lis.**
Which of the cuttings are in French?

**6 Combien?**
How many of the accents on the right can you spot in the cuttings below?

***Stratégies***

**Accents**
*accent aigu:* **é**
*accent grave:* **à è ù**
*accent circonflexe:* **â ê î ô û**

**Other unusual features**
*cédille:* **ç**
*tréma:* **ë ï ü**

***Rénovons le modèle social français***

**Quelli che si ricomprano l'azienda «La famiglia? Prima del business»**
*Su «Style» la seconda vita di Borletti. Da Barilla a Riello, le dinastie tornate in sella*

**Postbetrüger muss hinter Gitter**
**Unternehmen um 800 000 Euro geprellt**

**Pollution à l'ozone – le scandale**

Leidenschaft für „das Runde"

**"España es un país amigo que quiere la paz y la justicia"**

La révolution des prescriptions informatisées

**7 Traduis.**
List any words in the French cuttings you think you know the meaning of. Compare with a partner.

# Départ Je parle français!

- **Names, nationalities and classroom language**

Bonjour! Je m'appelle Thomas. Je suis français.
Salut! Je m'appelle Manon. Je suis française.
Manon
Bonjour! Je suis sénégalaise. Je m'appelle Adama.
Salut! Je m'appelle Kouakou. Je suis sénégalais.
Thomas
Adama
Kouakou

**1 Qui parle?**
Listen and read. Who is speaking?

**2 Réécoute.**
Listen again. Find:

- **a** two different greeting words.
- **b** how to say: *My name is...*
- **c** how the masculine and feminine forms of the nationality adjectives sound different.

**3 Parle.**
Do a Mexican wave round the class, each person saying their name in turn.

Exemple *Je m'appelle...*

**4 À deux.** *(A → B)*
**A** chooses to be one of the four people. **B** guesses who.

Exemple **B** *Tu es français?* **A** *Non.*
**B** *Tu es française?* **A** *Oui.*
**B** *Tu es Manon!* **A** *Oui, je suis Manon.*

**5 Écris.**
Draw your portrait. Write a bubble with your name and nationality.

**Grammaire**

**Nationality adjectives change.**

| | boy/man | girl/woman |
|---|---|---|
| Je suis... | *français*<br>*sénégalais* | *français**e***<br>*sénégalais**e*** |
| Tu es... | *anglais* | *anglais**e*** |

***Les nationalités***

*anglais / anglaise* = English
*écossais / écossaise* = Scottish
*gallois / galloise* = Welsh
*irlandais / irlandaise* = Irish

French nationality adjectives don't start with a capital letter.



Visit Clic! OxBox

# Toto à l'école

1 Bonjour! Asseyez-vous!

2 Bonjour, madame!

3 Ouvrez vos livres.

4 Oh! Je n'ai pas mon livre.

5 C'est quelle page?

6 Faites l'activité 3.

7 Je ne comprends pas.

8 Prête-moi ton crayon, s'il te plaît.

9 Silence!

10 J'ai fini!

11 Je n'ai pas fini!

12 Madame! Madame! S'il vous plaît... je peux aller aux toilettes?

13 OUI!!!

**6 Ecoute et lis.**

Listen and read the cartoon. Which phrases can you guess the meaning of?

| | to a friend | to an adult / several people |
|---|---|---|
| you | *tu* | *vous* |
| please | *s'il te plaît* | *s'il vous plaît* |

READING

**7 Relie.**

Match the English to the French.

Exemple **a** – *9*

- **a** Silence!
- **b** What page is it?
- **c** Good morning. Sit down.
- **d** Please may I go to the toilet?
- **e** I've finished.
- **f** Do activity 3.
- **g** Open your books.
- **h** I don't understand.
- **i** Oh! I haven't got my book.
- **j** I haven't finished.
- **k** Lend me your pencil, please.

Vive la
Calais
Boulogne
Dieppe
Brest
Paris
Nantes
CAFE DE FLORE
Bordeaux
Lyon
Toulouse
Arles
l'Espagne
l'Andorre
Marseil

# France! 1

la Belgique

le Luxembourg

Strasbourg

on

la Suisse

Grenoble

Monaco

Nice

**Contexts:**

**French, France and other countries**

**Grammar focus:**

**Nouns and gender**

**French is the first language of:**

**61** million people in France

**12** million Europeans in Belgium, Switzerland, Luxembourg, Monaco and Andorra

**6** million Canadians (mainly living in the province of Quebec)

**French...**

... is an official language in 31 African countries.

... is also spoken in Louisiana (USA), Haiti, the Seychelles, Mauritius, Madagascar and Tahiti.

... is an official language of the Olympic Games, the United Nations and the EU.

**Discute.**
Discuss what the map tells you about France. Share any information you already know.

**Écoute et répète.**
Listen and repeat the names of the towns. Point to them on the map.

Visit  

# 1.1 C'est ça, la France!

- Things that make you think of France; numbers 1–10; how to say 'the'

## Jeu-test: C'est quoi?

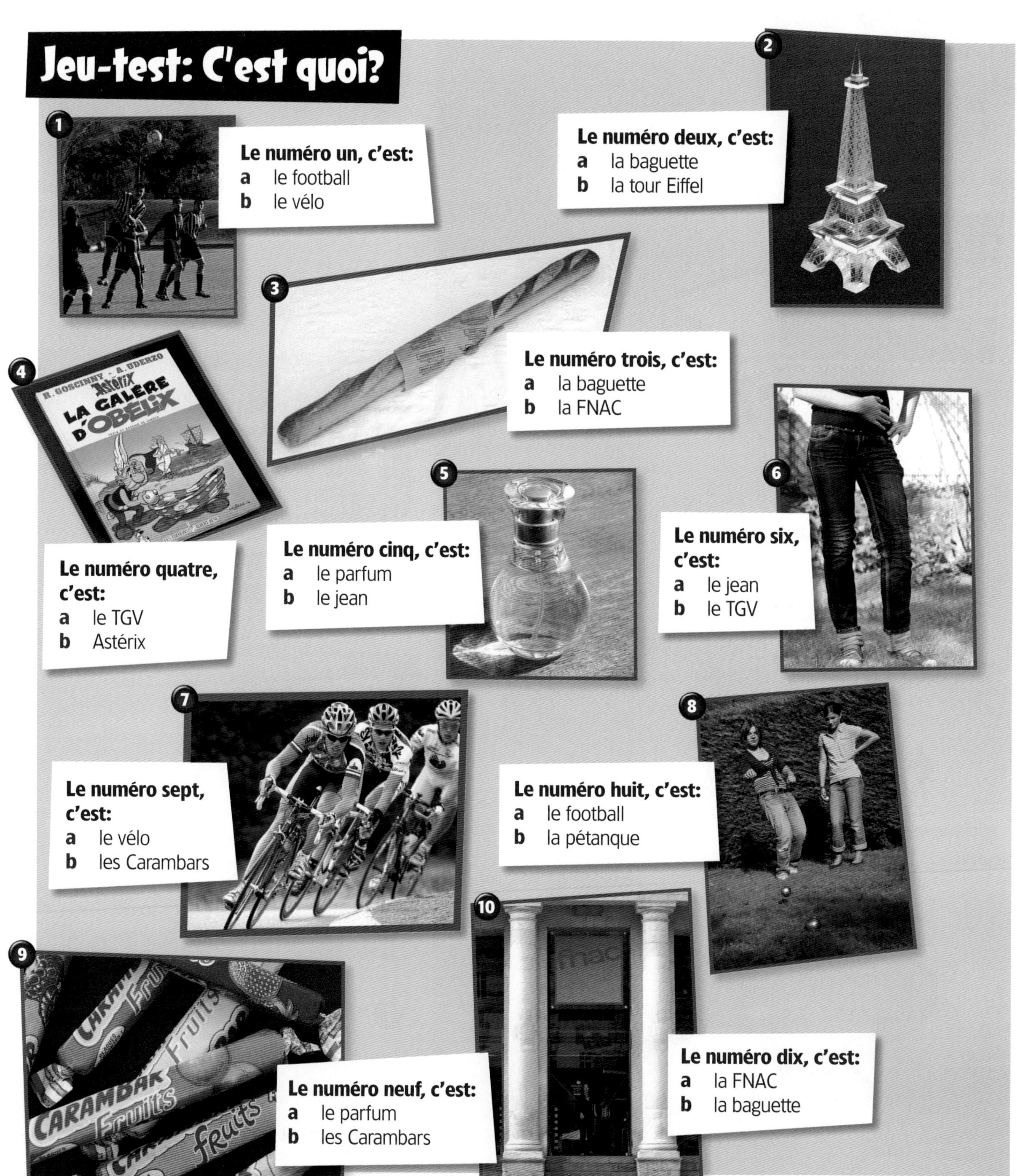


1 **Le numéro un, c'est:**
**a** le football
**b** le vélo

2 **Le numéro deux, c'est:**
**a** la baguette
**b** la tour Eiffel

3 **Le numéro trois, c'est:**
**a** la baguette
**b** la FNAC

4 **Le numéro quatre, c'est:**
**a** le TGV
**b** Astérix

5 **Le numéro cinq, c'est:**
**a** le parfum
**b** le jean

6 **Le numéro six, c'est:**
**a** le jean
**b** le TGV

7 **Le numéro sept, c'est:**
**a** le vélo
**b** les Carambars

8 **Le numéro huit, c'est:**
**a** le football
**b** la pétanque

9 **Le numéro neuf, c'est:**
**a** le parfum
**b** les Carambars

10 **Le numéro dix, c'est:**
**a** la FNAC
**b** la baguette

# C'est ça, la France!

**1 Regarde.**
Watch the video. Which of these are mentioned?

**a** Astérix **c** le football
**b** Tintin **d** le tennis

**2 Écoute et répète.**
Listen and repeat numbers 1–10.

**1** un **2** deux **3** trois **4** quatre **5** cinq **6** six **7** sept **8** huit **9** neuf **10** dix

**3 Jeu-test: a ou b?**
Do the *Jeu-test* quiz on page 12. Choose **a** or **b**.

**4 Grammaire**
Read the quiz. How many different French words for 'the' can you count?

**5 À deux: parlez. (B→A)**
**A** says a number. **B** names the object.

Exemple **A** *Trois... c'est quoi?*
**B** *C'est la baguette.*

**6a À deux: jouez à *Ni oui, ni non.***
Play the 'Yes/No' game.

Exemple **A** *Le numéro cinq, c'est le vélo?*
**B** *Ce n'est pas le vélo.*

*C'est* = It is...
*Ce **n'**est **pas*** = It's not...

**6b À deux: test de mémoire. (B→A)**
**B** has the book shut and must remember the number of each picture.

Exemple **A** *Dix.*
**B** *C'est les Carambars?*
**A** *Non, ce n'est pas les Carambars.*
**B** *C'est la FNAC?*
**A** *Oui, c'est la FNAC.*

## Grammaire

**How to say 'the'**
All French nouns are either masculine or feminine.
This is called the 'gender' of the word.
French has more than one word for 'the'.

| | masculine noun | feminine noun | starts with vowel or | plural noun |
|---|---|---|---|---|
| the | le | la | l' | les |

# 1.2 En France

- What there is / is not in a town; the alphabet

## L'alphabet en français

Aa Bb Cc Dd Ee Ff Gg Hh Ii Jj Kk Ll Mm
Nn Oo Pp Qq Rr Ss Tt Uu Vv Ww Xx Yy Zz

How does this French keyboard compare with yours?

**1 Écoute.**
Listen to the alphabet. Are any letters pronounced in the same way as English?

**2 Écoute, répète et continue.**
Listen, repeat and add the next letter.

Exemple *m, n, o... p*

WRITING
**3 Relie.**
Make sentences to match symbols **1–9** with words **a–i**.

Exemple **1** *C'est une école.*

1

2

3

4

5

6

7

8

9

***C'est...***

**a** un restaurant
**b** un cinéma
**c** un hôtel
**d** un café-tabac
**e** un camping
**f** une école
**g** une rue
**h** une pharmacie
**i** des toilettes/des WC

### Grammaire

French has two words for '*a*':
*un* + masc. noun
*une* + fem. noun
The English plural 'some' or 'any' is:
*des* + plural noun

SPEAKING
**4 À deux. (B→A)**
Spelling game: **A** spells out a word on one of the pictures on page 15. **B** must say the word before **A** finishes spelling.

Exemple **A** *C – i – n...* **B** *C'est un cinéma!* **A** *Oui!*

## Poster 1

un restaurant

une école

des toilettes

un cinéma

une rue

un hôtel

## Poster 2

une pharmacie

une école

un hôtel

un cinéma

un camping

un café-tabac

**Écoute.**
Look at the pictures and listen. Who is right: Lola or Lucas?

**Lis les phrases. Oui ou non?**
Read these sentences. Decide if they are right or wrong.

Exemple *Oui, il y a une pharmacie. / Non, il n'y a pas de pharmacie.*

**a** Poster numéro un, il y a un cinéma.
**b** Poster numéro un, il y a un camping.
**c** Poster numéro un, il y a des toilettes.
**d** Poster numéro deux, il y a une école.
**e** Poster numéro deux, il y a une rue.

***il y a*** = there is / there are
***il y a une rue*** = there is a street
***il y a des toilettes*** = there are some toilets

***il n'y a pas de*** = there isn't
there aren't
***il n'y a pas de rue***
***il n'y a pas d'hôtel***

**Jeu des différences. Résume.**
Spot the differences between the two posters.

Exemple *Poster numéro un, il y a un restaurant.*
*Poster numéro deux, il n'y a pas de restaurant.*

**Imagine.**
Say what there is / isn't in your ideal town.

Exemple *Dans ma ville idéale, il y a... Il n'y a pas de...*

un centre sportif? un port? un parc?
un bowling? une salle de concert?

Dans ma ville idéale,
il n'y a pas d'école!

# 1.3 Ici, on parle français

- Your country and the language(s) you speak; colours

**A**

Salut! Je m'appelle Nico.
Mon pays, c'est la France.
Je suis français.
Je parle français et portugais.

**B**

Salut! Je m'appelle Ana.
Mon pays, c'est le Sénégal.
Je suis sénégalaise.
Je parle français et wolof.

**C**

Salut! Je m'appelle Samuel.
Mon pays, c'est le Canada.
Je suis canadien.
Je parle français et anglais.

**1 Écoute, lis et trouve:**

- **a** three countries
- **b** three nationalities
- **c** four languages

**2 Réponds en anglais.**

- **a** Who speaks English?
- **b** Who speaks Portuguese?
- **c** Who speaks French?

**3 Écris.**

Write a bubble for Laura, Omar and Christophe.

Exemple *Je m'appelle... Mon pays, c'est...*
*Je suis... Je parle...*

**Grammaire**

Countries start with a capital letter:
***la France***
Nationalities and languages do not:
***français***, ***le français***

**Grammaire**

***le*** or ***la*** → ***l'*** if the noun starts with a vowel or ***h***
***la Algérie*** ✖ ***l'Algérie*** ✔

| *Nom* | Laura | Omar | Christophe |
|---|---|---|---|
| *Pays* | la Belgique | l'Algérie | la Suisse |
| *Nationalité* | belge | algérien | suisse |
| *Langues* | le français et le flamand | le français et l'arabe | le français et l'italien |

## 4 Écris et lis.

Write a bubble about yourself and read it to the class.

*Salut! Je m'appelle Mia.*
*Mon pays, c'est l'Angleterre.*
*Je suis anglaise...*

| | | |
|---|---|---|
| Je m'appelle | Emily / Adam | |
| Mon pays c'est | le | Canada / Pays de Galles / Sénégal |
| | la | France / Belgique / Suisse |
| | l' | Algérie / Angleterre / Ecosse / Irlande |
| Je suis | français / anglais / canadien / gallois / écossais / irlandais / belge / sénégalais | |
| Je parle | français et anglais<br>gallois et anglais | |

## 5 À deux: complétez.

Work with a partner to complete the key to the flags' colours.

Exemple **a** *bleu, ...*

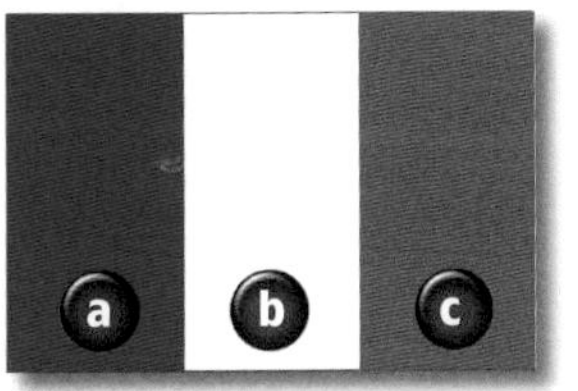


*le drapeau français*

*le drapeau sénégalais*

*le drapeau belge*

## 6 Écoute. C'est quel drapeau?

Listen. Which French-speaking country's flag is being described?

l'Algérie

le Canada

le Gabon

le Tchad

le Vanuatu

## 7 À deux: parlez. (B→A)

**A** names the colours of one of the flags.
**B** names the country.

## 8 Décris ton drapeau.

Name the colours of your country's flag.

# 1.4 Les langues des stars

- Jobs; languages

**Gary Lineker** est 1.

Il est ex-footballeur.

Il est 2.

Il 3 anglais, espagnol et japonais.

Il dit: «Une langue étrangère*, c'est important pour le travail*».

**une langue étrangère* = a foreign language
*le travail* = work

**Charlize Theron** est 4.

Elle est sud-africaine.

Elle parle 28 langues: afrikaans, anglais, allemand, 5, etc, etc.

Elle dit: «Une langue étrangère, c'est important pour la 6 ».

**1a Lis et complète les textes.**
Read the texts. Choose a word below to replace each star above.

Exemple **1** – *présentateur,...*

parle | anglais | communication | français | actrice | présentateur

**1b Écoute et vérifie.**
Listen to check if you were right.

*il dit* = he says
*elle dit* = she says
*il est* = he is
*elle est* = she is

Elle s'appelle Paula Radcliffe.
Elle est sportive. Elle est anglaise.
Elle parle anglais, français
et allemand.
Elle dit. «Une langue étrangère,
c'est important pour les voyages».

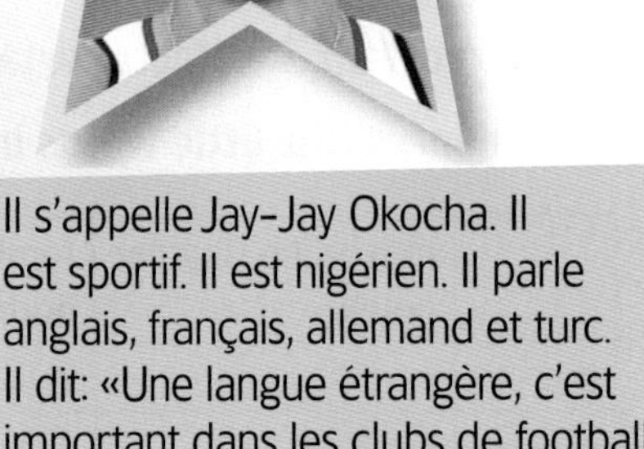

Il s'appelle Jay-Jay Okocha. Il est sportif. Il est nigérien. Il parle anglais, français, allemand et turc. Il dit: «Une langue étrangère, c'est important dans les clubs de football internationaux».

Il s'appelle Johnny Depp.
Il est acteur. Il est américain.
Il parle anglais et français.
Il dit: «Une langue étrangère, c'est important pour la communication internationale.»

Elle s'appelle Lucy Liu. Elle est actrice. Elle est américaine. Elle parle anglais, chinois, français et espagnol. Elle dit: «Une langue étrangère, c'est important pour le travail.»

**Écoute let lis.**
Read and listen to find out which of the stars speaks the most languages.

**Écoute. C'est qui?**
Listen. Who is being described?

**Lis 1–4. Vrai ou faux?**
Read statements **1–4**. Are they true or false? Correct the false statements.

**1** Jay-Jay Okocha est acteur. **3** Paula Radcliffe est actrice.

**2** Johnny Depp est anglais. **4** Lucy Liu parle turc.

**À deux: vrai ou faux? (B→A)**
**A** writes five sentences about the stars and reads them to **B**.
**B** answers from memory, with the book shut.

Exemple **A** *Lucy Liu est actrice.* **B** *C'est vrai!*

**Grammaire**

Notice the change in the verb when saying someone's name:

***je m'appelle...***
***il s'appelle...***
***elle s'appelle...***

***Défi!***

Write about an actor or sports star, stating their nationality and the languages they speak.

# 1 Labo-langue

## Bien comprendre! *Nouns and gender*

**Q**: What is a noun?

**A**: A word used to name a person, an animal, a place or a thing.

**Q**: What is meant by 'gender'?

**A**: In French, the gender of a noun is whether it is masculine or feminine. All French nouns fall into one of these two groups.

**Gender is important. It affects certain words in a sentence. For example:**

**A** **Determiners (the little words in front of nouns) have to match the noun.**

| | masculine singular nouns | feminine singular nouns | nouns start with vowel or 'l' | both masculine and feminine plural nouns |
|---|---|---|---|---|
| the | le | la | l' | les |
| a | un | une | un/une | des |

**1** **Look up these words in the glossary at the back of the book. Are they masculine or feminine? Write them starting with *le, la, l'* or *les*.**

**a** couleur
**b** Europe
**c** paragraphe
**d** date
**e** football
**f** invitations

**B** **The names of some professions**: have to be feminine or masculine.

**2** **Copy the words and complete the missing letters.**

| English | masc. noun for men | fem. noun for women |
|---|---|---|
| singer | chanteur | chant**** |
| shop assistant | vend*** | vendeuse |
| waiter/waitress | serveur | serv**** |
| mechanic | mécanicien | mécanic***** |

These endings are typically masculine:
***-eur*, *-ien***
These endings are typically feminine:
***-euse*, *-ienne***

**C** **Adjectives of nationality** have to be masculine or feminine, singular or plural, to match the noun they describe.

| | masculine | feminine |
|---|---|---|
| sing. | le drapeau américain | une sportive américaine |

**3** **Choose the correct adjectives.**

**a** C'est une sportive **japonais/japonaise**.
**b** Il y a un train **anglais/anglaise**.
**c** Marie est **hollandais/hollandaise**.
**d** C'est un footballeur **sénégalais/sénégalaise**.
**e** La tour Eiffel est **français/française**.

## **Bien apprendre!** *Recording new vocabulary*

**Q**: How can I remember all the new French words and phrases I learn?

**A**: Keep a record of them in one of the following ways:

**a** **Make an alphabetical list in your notebook.**
Always record the gender of nouns too (***le football***, not just ***football***).

**b** **Write them in groups, according to topic.**

il est sportif
elle est sportive
le football
le vélo

**c** **Type them out and save the file on your computer.**

**d** **Write them on two-sided cards (the French on the front and the English on the back).**

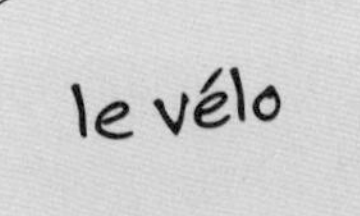


**e** **Write them on small pieces of paper that you keep in an envelope or a box.**

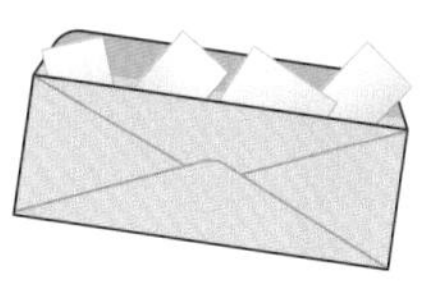

**f** **Make word maps.**

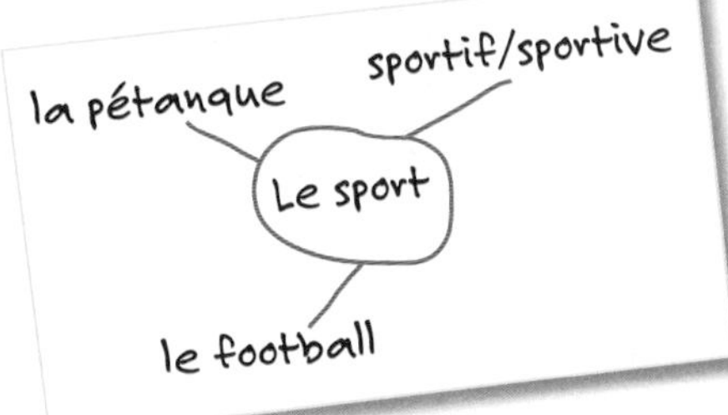

**1** **Discuss the advantages and disadvantages of each suggestion.**

Example *Small pieces of paper might easily get lost.*

**2** **Try the suggestions yourself and decide which works best for you.**

Make sure you look back at the words and phrases you have recorded as often as you can. Test yourself (or a friend) to see how much you remember.

## **Bien parler!** *Nasal sounds*

**Some French sounds have to come through your nose as well as your mouth.**

**1** **Listen to these:** ***an... in... on...***

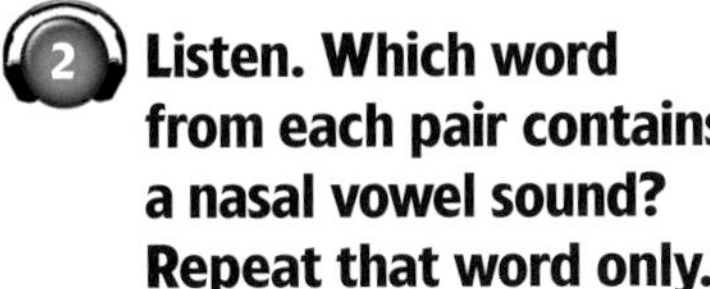

**2** **Listen. Which word from each pair contains a nasal vowel sound? Repeat that word only.**

**3** **Practise reading these phrases aloud. The nasal sounds are underlined.**

**a** Je parle anglais.
**b** Lyon est en France.
**c** Une langue étrangère, c'est important.

# 1 Blog-notes

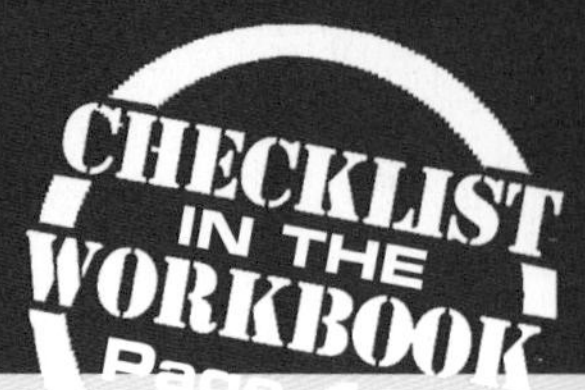


## Bienvenue sur le blog de Thomas

**Pseudo:** Fan2F1
**Lieu:** Nantes, France
**Nationalité:** Français
**Âge:** 12 ans
**Passion:** les voitures
**Idole:** Sébastien Bourdais

**Ma photo du jour:**

VIDEO

**1 Regarde le vidéo-blog. Choisis 1 ou 2.**
Watch Thomas' video diary. Select the correct answers for him.

**a Tu t'appelles comment?**

Je m'appelle **1** Thomas JARMEIL **2** Thomas GARNIER

**b C'est quoi, ton pays?**

Mon pays, c'est **1** la Suisse **2** la France

**c C'est quoi, ta nationalité?**

Je suis **1** anglais **2** français

**d Tu parles quelles langues?**

Je parle **1** français **2** français et anglais

**e Ton idole, c'est qui?**

C'est **1** Fernando Alonso **2** Sébastien Bourdais

**f Il/Elle est quoi?**

Il est **1** pilote **2** footballeur

**g Ta couleur préférée, c'est quoi?**

**1** C'est le bleu. **2** Ce n'est pas le bleu.

**h Pour toi, la France, c'est quoi?**

La France, c'est

**1** les voitures Renault **2** les footballeurs

SPEAKING

**2 À toi de répondre!**
Give your own answers to the questions.

## Écoute!

Listen and number. What are they speaking about?

Exemple **1** = *c*

**a** their country
**b** the languages they speak
**c** their favourite stars
**d** what there is in their town
**e** what there is not in their town
**f** their favourite colours

**Défi!**

Note the country, colours, languages and places mentioned.

## Parle!

**A** asks questions **a–e**. **B** looks at the pictures and answers in full sentences.

**a** Il y a un restaurant?
**b** Il y a des toilettes?
**c** Il y a une école?
**d** Il y a une baguette?
**e** Il y a une pharmacie?

**Défi!**

Say what you are called and the languages that you speak.

## Lis!

Read and choose the correct word in each sentence.

Exemple **a** = *Elle*

**a** **Il/Elle** s'appelle Amélie Mauresmo.
**b** Elle est **rouge/sportive**.
**c** Elle est **française/français**.
**d** Son **pays/parfum**, c'est la Suisse.
**e** Elle parle **français/France**.
**f** Sa couleur préférée, c'est **le tennis/le vert**.

**Défi!**

Translate the sentences into English.

## Écris!

Write answers to these questions in full sentences.

**a** Tu t'appelles comment?
**b** C'est quoi, ta nationalité?
**c** C'est quoi, ton pays?
**d** Tu parles quelles langues?
**e** Le drapeau français est de quelle couleur?

**Défi!**

Write answers to a–d for a friend or family member.

Example *Elle s'appelle...*

**1 À deux: dites vite!**

How quickly can you say each line? Get a partner to time you.

**a** 2 – 4 – 6 – 8 – 10 – 5 – 3 – 7 – 9 – 1

**b** b – d – o – r – t – u – a – e – w – i

**c**      

**2a Relie.**

Match the questions and answers, and write out the interview.

1. Tu t'appelles comment?
2. C'est quoi, ton pays?
3. C'est quoi, ta nationalité?
4. Tu parles quelles langues?
5. Comment s'appelle ton idole?

**a** Je parle anglais et gallois.
**b** Je suis gallois.
**c** Mon pays, c'est le pays de Galles.
**d** Elle s'appelle Charlotte Church. Elle est chanteuse et actrice.
**e** Je m'appelle Glyn Davies.

**2b À deux: parlez.**

Ask your partner questions 1–5.

**3 Lis et écris.**

Read the forms. Choose two and write interviews with them.

**Nom**: Kerry Nolan
**Pays**: Irlande
**Nationalité**: je suis irlandaise
**Langues**: anglais, français
**Idole**: Ronan Keating (chanteur)

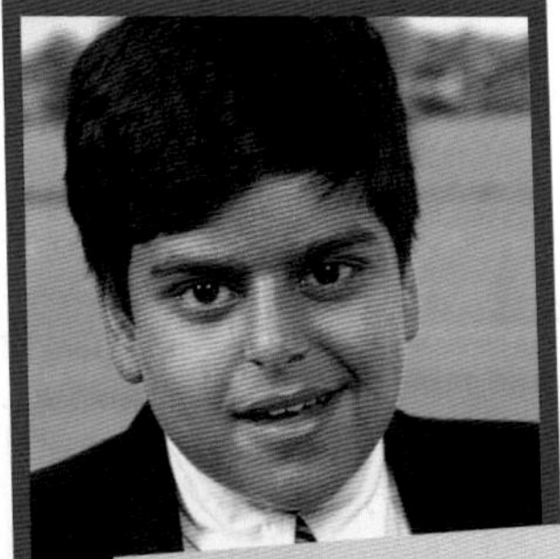

**Nom**: Sanjiv Kohli
**Pays**: Écosse
**Nationalité**: je suis écossais
**Langues**: anglais, hindi
**Idole**: Andy Murray (joueur de tennis)

**Nom**: Jade Smith
**Pays**: Angleterre
**Nationalité**: je suis anglaise
**Langues**: anglais, espagnol
**Idole**: Keira Knightley (actrice)

**4 Write a form with your own details.**

# Les symboles de la France

**Liberté – Égalité – Fraternité**
The French motto (Freedom, Equality, Brotherhood) dates from the time of the French Revolution but this national logo has only been in use since 1999.

**République française**
*La France est une république. Il y a un président.*
In France, there is a president instead of a king or queen. *République française* is sometimes shortened to *'RF'*.

French euro coins have the outline of a hexagon. France is sometimes called ***l'Hexagone*** because of the six-sided shape of the map of France.

La Marseillaise

Allons enfants de la Patrie
Le jour de gloire est arrivé!

**La Marseillaise,**
*c'est l'hymne national français.*
The French national anthem is over 200 years old.

**Le drapeau français**
*est bleu, blanc, rouge. Il s'appelle le drapeau tricolore.*
The French flag is called *le Tricolore* because it has three colours.

**Elle s'appelle Marianne.**
*Elle représente la République française.*
Marianne is pictured on many French postage stamps. She is not a real person, but is modelled on one, usually an actress.

**Le coq**
*est le symbole officiel des sportifs français.*
In international matches, French sportsmen and women wear the Gallic cockerel symbol.

**What does RF stand for?**

**What money is used in France?**

**In French, describe *your* national flag and give its name.**

**Look back through pages 10–25. Make a list in English of at least six things you have learned about France that you didn't know before.**

# 1 Vocabulaire

| **De 1 à 10** | ***From 1 to 10*** |
|---|---|
| un | *one* |
| deux | *two* |
| trois | *three* |
| quatre | *four* |
| cinq | *five* |
| six | *six* |
| sept | *seven* |
| huit | *eight* |
| neuf | *nine* |
| dix | *ten* |

| **C'est quoi?** | ***What is it?*** |
|---|---|
| C'est... | *It's...* |
| Ce n'est pas... | *It isn't...* |
| un jean | *a pair of jeans* |
| la FNAC | *shop that sells CDs, DVDs, books etc.* |
| le football | *football* |
| le vélo | *cycling* |
| une baguette | *a French stick loaf* |
| les Carambars | *type of French sweets* |
| le TGV | *high-speed French train* |
| la pétanque | *French game of bowls* |
| C'est la Tour Eiffel? | *Is that the Eiffel Tower?* |
| Oui. | *Yes.* |
| Non. | *No.* |

| **Qu'est-ce qu'il y a?** | ***What is there?*** |
|---|---|
| Il y a... | *There is... (or There are...)* |
| un café-tabac | *a cafe where you can buy stamps and cigarettes* |
| un camping | *a campsite* |
| un cinéma | *a cinema* |
| un hôtel | *a hotel* |
| un restaurant | *a restaurant* |
| une école | *a school* |
| une pharmacie | *a chemist's* |
| une rue | *a street* |
| des toilettes | *some toilets* |
| Il n'y a pas de camping. | *There isn't a campsite.* |
| Il n'y a pas d'hôtel. | *There isn't a hotel.* |

| **Tu t'appelles comment?** | ***What's your name?*** |
|---|---|
| Je m'appelle Jo. | *My name's Jo.* |
| Il s'appelle Ben. | *His name is Ben.* |
| Elle s'appelle Nicole. | *Her name is Nicole.* |

| **Les pays et les nationalités** | ***Countries and nationalités*** |
|---|---|
| C'est quoi, ton pays? | *What country are you from?* |
| Mon pays, c'est la France. | *I'm from France.* |
| C'est quoi, ta nationalité? | *What nationality are you?* |
| Je suis français. | *I'm French. (boy speaking)* |
| Je suis française. | *I'm French. (girl speaking)* |
| l'Angleterre: anglais/anglaise | *England: English* |
| l'Écosse: écossais/écossaise | *Scotland: Scottish* |
| l'Irlande: irlandais/irlandaise | *Irlande: Irish* |
| le pays de Galles: gallois/galloise | *Wales: Welsh* |
| l'Algérie: algérien/algérienne | *Algeria: Algerian* |
| la Belgique: belge (for m and f) | *Belgium: Belgian* |
| le Canada: canadien/canadienne | *Canada: Canadian* |
| le Sénégal: sénégalais/sénégalaise | *Senegal: Senegalese* |
| la Suisse: suisse (for m and f) | *Switzerland: Swiss* |

| **Les langues** | ***Languages*** |
|---|---|
| une langue étrangère | *a foreign language* |
| Tu parles quelles langues? | *What languages do you speak?* |
| Je parle français. | *I speak French.* |
| anglais | *English* |
| allemand | *German* |
| espagnol | *Spanish* |
| italien | *Italian* |
| arabe | *Arabic* |
| japonais | *Japanese* |
| flamand | *Flemish* |
| C'est important pour le travail. | *It's important for work.* |
| la communication internationale | *international communication* |
| les voyages | *travel* |

| Mes idoles | *My idols* |
|---|---|
| Il est sportif. | *He's a sportsman.* |
| Elle est sportive. | *She's a sportswoman.* |
| Il est acteur. | *He's an actor.* |
| Elle est actrice. | *She's an actress.* |
| Il est présentateur. | *He's a TV presenter.* |

| Les couleurs | *Colours* |
|---|---|
| bleu | *blue* |
| blanc | *white* |
| rouge | *red* |
| jaune | *yellow* |
| vert | *green* |
| noir | *black* |
| orange | *orange* |
| Le drapeau français est bleu, blanc et rouge. | *The French flag is blue, white and red.* |

## Toto's Top Tips

Get to grips with gender!

*Every single French noun has a gender: it is either masculine or feminine. Always note the gender when you see a new word.*

**A Can you remember the gender of the French nouns you have learned so far? Get your partner to test you on six words from Unit 1.**

**A says a noun from pages 26–27. B gives the gender without looking at the book.**

Example ***A*** *Restaurant*
***B*** *Un restaurant... c'est masculin.*

## Vive les couleurs!

***Refrain***
Vive les couleurs! Vive les couleurs!
Bleu, blanc, rouge,
Noir, jaune, vert.

Vive la France! Vive la France!
Bleu, blanc, rouge,
Bleu, blanc, rouge.

***Refrain***

Vive la Chine! Vive la Chine!
Rouge et jaune,
Rouge et jaune.

***Refrain***

Vive la Belgique! Vive la Belgique!
Noir, jaune, rouge,
Noir, jaune, rouge.

***Refrain***

Vive le Brésil! Vive le Brésil!
Vert, jaune, bleu,
Vert, jaune, bleu.

**1 Écoute et lis.**
Listen to the song and read the words.
Match the flags to the countries:

Belgium, Brazil, China, France.

**2 Chante.** (SPEAKING)
Join in the song.

**3 Invente d'autres couplets.** (WRITING)
Make up more verses.

Example *Vive la Pologne: blanc et rouge...*

la Grèce  la Jamaïque

le Pakistan

http//www.l'ABCdespassions.fr

# L'ABC des passions

A les animaux

B le basket

C le cheval

D une Nintendo DS

E les éléphants

F le football

G le gâteau au chocolat

H le hip hop

I l'iPod

J Johnny Depp

K L M N O P Q R S T U V W X Y Z

## ..., j'aime! 2

**Context: My favourite things**

**Grammar focus: Verbs (1)**

3

**There are 40 million pets in France**
**Top pets: dogs and cats**

**Sports the French love:**
**football, rugby, cycling**

**Favourite hobbies of 11–19 year olds:**
**listening to music, chatting with friends**

SPEAKING **1** **C'est quoi?**
Match the photos to the correct letters.

Exemple **1** = *l* - *C'est l'iPod.*

SPEAKING **2** **Défi! Fais l'ABC des passions de la classe.**
Challenge! Make a list of favourite things in the class.

Exemple **A** *comme les amis*
**B** *comme Beckham*

# 2.1 Mes passions

- Things you like and don't like

## Tu aimes...?

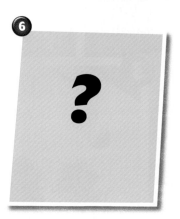

**1 Relie. Le numéro 6, c'est quoi?**
Match the pictures with the words on the right (**a–f**).
What is number 6? Watch the video clip to check.

Exemple **1** = *d*, **2** = *..., etc.*

| | | |
|---|---|---|
| J'aime...<br>je n'aime pas... | a | la musique |
| | b | le sport |
| | c | les films (d'action) |
| | d | les ordinateurs |
| | e | les jeux vidéo |
| | f | les animaux |

**2 Fais des phrases.**
Watch again. Make up a sentence for each person.

**1**: *J'aime...* **d** *les ordinateurs.*

*Je n'aime pas...* **f** *les animaux.*

**3 À deux. (B → A)**
In pairs, guess each other's favourite things.

Exemple **A** *Tu aimes la musique?*
**B** *Oui, j'aime ça*. / Non, je n'aime pas ça*.* *it/that

**4 Choisis deux correspondants.**
Choose two of the people from the video clip for penpals.
Give a reason.

Exemple *Je choisis le numéro* **1**. *Elle aime les ordinateurs.*
*Je choisis le numéro* **2**. *Il aime la musique.*

**Grammaire**

| | |
|---|---|
| **J'aime**<br>**Tu aimes**<br>**Il aime**<br>**Elle aime** | le / la / les **+ noun** |

# Sondage

**A** - Tu as un animal?
**B** - Tu as un ordinateur?
**C** - Tu as une console de jeux?
**D** - Tu as un téléphone portable*? * mobile phone

## C'est quoi, le plus important pour toi?

**Mehdi:** *J'ai une PSP. La PSP, c'est trop génial*! Le plus important, pour moi, c'est ma PSP.*

*really wicked
above all/especially

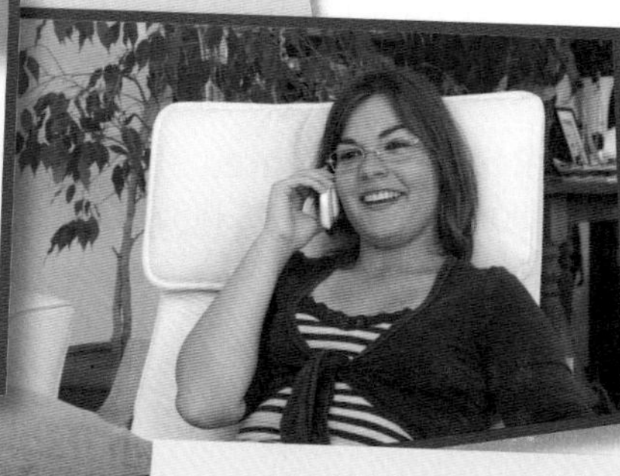

**Diane:** *Oui, j'ai un portable! Pour moi, c'est le plus important, surtout* pour communiquer avec les amis!*

**Manon:** *J'aime les animaux: les chiens, les lapins, les oiseaux, les poissons mais j'aime surtout les chats! J'ai un chat et c'est le plus important pour moi!*

**Thomas:** *Moi, j'ai un ordinateur. J'adore Internet et MSN. L'ordi, c'est l'objet le plus important pour moi!*

**5 Relie.**
Read and match each question to the person who answers it.

**6 Écoute. C'est quelle question (A, B, C ou D)?**
Listen to 10 people. Which of the four questions are they answering?

Exemple *1 = question A*

**7 À deux: vrai ou faux? (B → A)**
**A** asks the question. **B** answers. **A** guesses if it's true or not.

Exemple **A** *Tu as un animal?* **B** *Oui, j'ai un chien. /Non, je n'ai pas de chien.*

**8 Grammaire: complète.**
Copy and fill in the gaps.

**a** « Tu ...... un animal? »
**b** « Oui, j'...... un chat. »
**c** ...... n'ai pas d'animal.
**d** Lisa n'...... pas de lapin.
**e** « Lisa, ...... as un lapin? »
**f** ...... a un oiseau.

**I have...**

| | | |
|---|---|---|
| J'ai | un | portable / animal / ordinateur / chat / chien / oiseau / lapin / poisson |
| | une | console de jeux / PSP |

**I don't have...**

| | | |
|---|---|---|
| Je n'ai pas | de | portable / console de jeux |
| | d' | animal / ordinateur |

**Grammaire**

| | |
|---|---|
| ***avoir*** | **(to have)** |
| ***J'*** | ***ai*** |
| ***Tu*** | ***as*** |
| ***Il*** | ***a*** |
| ***Elle*** | ***a*** |

# 2.2 Mes fêtes préférées

- **Special occasions; dates, age, birthday**

**Écoute. C'est quel mois?**
Listen to the date and point to the month below.

**Réécoute et note.**
Note the numbers between 11–31 you hear mentioned. Which are missing?

**À deux. (B → A)**
**A** says a date in French. **B** says it back in English very fast.

Exemple **A** *Le premier* juin.* **B** *Le Nouvel An*
**A** *Le deux février.* **B** *La Chandeleur!*

* *le premier* (not *le un*)

**Écoute. Louis parle de fêtes. C'est quoi en anglais?**
Louis explains some French celebrations. What are they in English?

Zzzzzzz...
11 onze
12 douze
13 treize
14 quatorze
15 quinze
16 seize
17 dix-sept
18 dix-huit
19 dix-neuf
20 vingt
21 vingt et un
22 vingt-deux
30 trente
31 trente et un

**1er janvier**
**Le Nouvel An**

**mai**
**La Fête des Mères**

**juin**
**La Fête des Pères**

**31 octobre**
**Halloween**

**2 février**
**La Chandeleur**

**14 juillet**
**La Fête Nationale**

**1er novembre**
**La Toussaint**

**mars**
**Pâques**

**25 août**
**Ma fête!**

AOÛT 25 Saint Louis

**25 décembre**
**Noël**

**1er avril**
**Le premier avril**

**21 septembre**
**Mon anniversaire!**

Ma fête préférée, c'est mon anniversaire! J'aime les cadeaux!
Louis
INVITATION
Mon anniversaire, c'est le 21 septembre!
J'ai 12 ans!
Venez faire la fête!
R.S.V.P

**5 À deux. (B → A)**

Read the invitation. **A** asks questions a and b below. **B** answers for Louis. Do it again giving your own age and birthday.

A *Tu as quel âge?* — *J'ai... ans.*

B *C'est quand, ton anniversaire?* — *Mon anniversaire, c'est le...*

| | |
|---|---|
| *Tu **as** quel âge?* | How old **are** you? |
| *J'**ai** 11 **ans**.* | I **am** 11. |
| *Il **a** 11 **ans**.* | He **is** 11. |

**NB**: In French you have a certain number of years.

**6 Écoute et lis *Interview Express*.**

Listen to and read the interview below.

**7 À deux:**

**a lisez la conversation.**

**b adaptez. (A → B, B → A)**

In pairs, read out, then adapt the conversation for you.

### Grammaire

| | m | f | pl |
|---|---|---|---|
| my | mon | ma | mes |
| your | ton | ta | tes |

## Interview Express

Bonjour! Tu t'appelles comment?
Je m'appelle Thomas.
Tu as quel âge?
J'ai 12 ans.
C'est quand, ton anniversaire?
Mon anniversaire, c'est le 18 mars.
C'est quoi, tes fêtes préférées?
Mes fêtes préférées, c'est Noël et mon anniversaire. J'adore les cadeaux!

# 2.3 C'est le week-end!

- Weekend activities you like or dislike

## Qu'est-ce que tu aimes faire le week-end?

**Écoute. C'est quel numéro?**
Listen. Which picture is it for each caller?

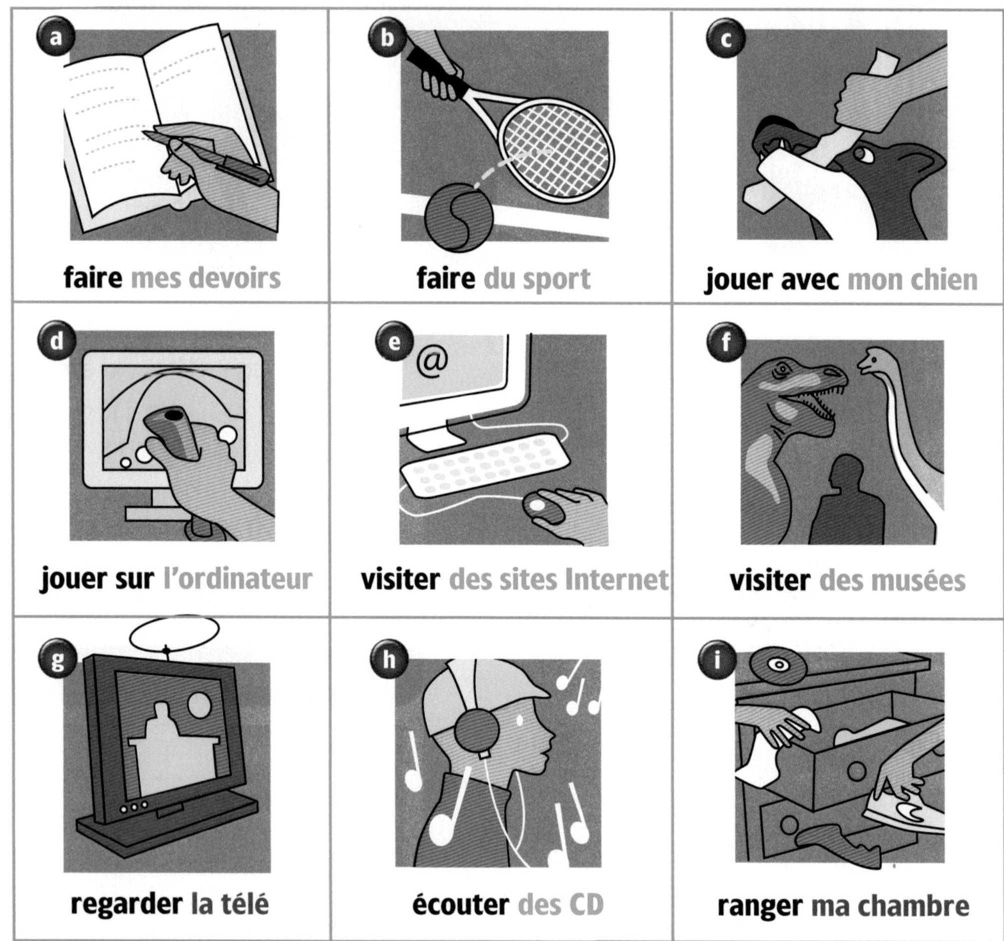

**Réécoute et compte.**
Listen again. How many times do you hear the phrases below?

***Qu'est-ce que tu aimes faire?***

 *J'aime bien...*  *J'adore...*  *Je n'aime pas beaucoup...*  *Je déteste...*

**Complète pour toi.**
Make sentences that are true for you.

Exemple *J'aime bien jouer sur l'ordinateur.*

**À deux. (B → A)**

Exemple **A** *Tu aimes ranger ta chambre?*
**B** *Oui, j'aime bien ça.*

**Grammaire**

| **Pronoun** | **+ verb** | **+ infinitive verb** |
|---|---|---|
| J' | aime | jouer / regarder / visiter |
| Je | déteste | faire / écouter / ranger |

# DÉBAT Le week-end: super ou nul?

J'adore le week-end! 

**a** *Je n'aime pas faire mes devoirs! Beurk!*

**b** *J'adore faire du sport. Génial!*

**c** *Je n'aime pas ranger ma chambre. Bof!*

**d** *J'aime visiter des sites Internet. Youpi!*

**e** *Je n'aime pas regarder la télé. Nul!*

**f** *J'aime jouer avec mon chat. Super!*

## Et pour toi, le week-end, c'est super ou c'est nul?

**5** **Qui dit a–f: Alex ou Yasmina?**

**6** **Écoute et vérifie. Note les symboles.**
Listen and check. Note the correct symbol (from activity 2) for each sentence.

Exemple **a** = *Yasmina*

**Génial! Super! Youpi! J'adore ça!**

**Bof!**

**Nul! Beurk! Je déteste ça!**

**7** **À deux. (B → A)**

Exemple **A** *Tu aimes faire du sport?*
**B** *Non, beurk! (Je déteste ça.)*

**8** **Écris.**
Write down three things you do at the weekend, including one which is not true. Your partner guesses which it is.

*Exemple Je fais du sport. Je visite des musées. J'écoute mes CD.*

**9** **Grammaire. À deux: le morpion.**
Play noughts and crosses with the grid on page 34.
Write sentences with *je* and *tu* to win a square.

Exemple **A** *J'aime faire mes devoirs.* **B** *Tu aimes regarder la télé.*

# 2.4 Copains-copines

- You and your friends

## QUIZ

**Comment est ton copain idéal / ta copine idéale?**
**Fais le test! Choisis a ou b.**

**1** **Sa passion, c'est...**
a la musique
b le cinéma

**2** **Son animal préféré, c'est...**
a le chien
b le rat

**3** **Ses fêtes préférées, c'est...**
a Noël et Halloween
b Pâques et la Chandeleur

**4** **Il / Elle aime**
a regarder la télé
b jouer sur sa console

**5** **Il / Elle déteste**
a ranger sa chambre
b faire du shopping

**6** **Le week-end, il / elle regarde**
a la télé
b des DVD

**7** **Le week-end, il / elle fait**
a ses devoirs
b du sport

**8** **Le week-end, il / elle préfère**
a retrouver* des copains
b rester au lit*

* *retrouver* = to meet up with
*rester au lit* = to stay in bed

**Grammaire**

**his / her**
son + masc. noun
sa + fem. noun
ses + plural noun

**1 Lis et fais le quiz.**
Read and do the quiz on page 36 about the ideal girlfriend/boyfriend.

**2 Écoute et note les réponses de Yasmina.**
Listen and note down Yasmina's answers.

Exemple **1** *a*

**3 Yasmina, c'est la copine idéale d'Alex?**
Compare Alex's answers here with Yasmina's answers. Is she his ideal girlfriend?

1a, 2a, 3b, 4b, 5a, 6b, 7b, 8a

**4 Grammaire: complète.**
Copy Alex's email message and fill in the verbs in the correct form.

s'appeler adorer détester aimer préférer

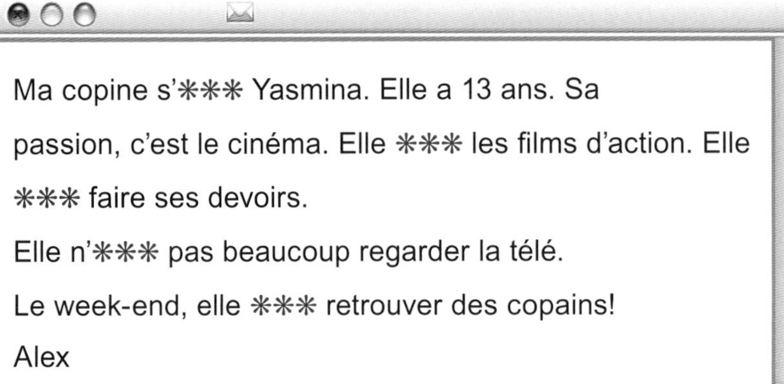

Ma copine s'✻✻✻ Yasmina. Elle a 13 ans. Sa passion, c'est le cinéma. Elle ✻✻✻ les films d'action. Elle ✻✻✻ faire ses devoirs.

Elle n'✻✻✻ pas beaucoup regarder la télé.

Le week-end, elle ✻✻✻ retrouver des copains!

Alex

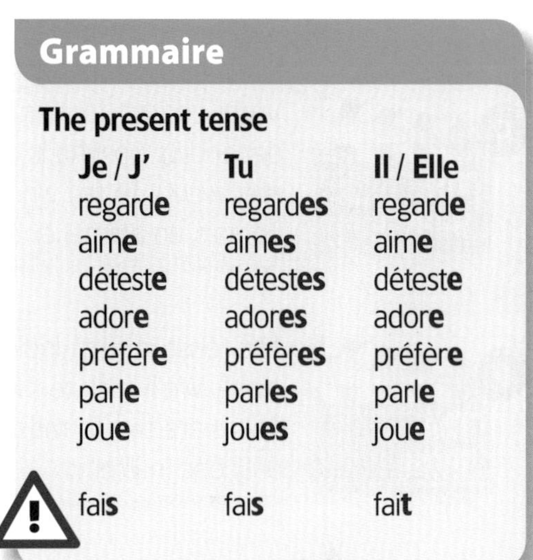

**Grammaire**

**The present tense**

| Je / J' | Tu | Il / Elle |
|---|---|---|
| regard**e** | regard**es** | regard**e** |
| aim**e** | aim**es** | aim**e** |
| détest**e** | détest**es** | détest**e** |
| ador**e** | ador**es** | ador**e** |
| préfèr**e** | préfèr**es** | préfèr**e** |
| parl**e** | parl**es** | parl**e** |
| jou**e** | jou**es** | jou**e** |
| ⚠ fai**s** | fai**s** | fai**t** |

**5 Écris six choses sur ton copain/ta copine.**
Write at least six things about one of your friends.

Exemple

*Mon copain s'appelle David. Il est gallois. Il parle anglais et gallois. Son anniversaire, c'est le 23 juin. Il adore le rugby. Il aime beaucoup la musique. Le week-end, il fait des matchs de rugby et il chante*. Il déteste le football et la télévision.*

* sings

**6 Invente un quiz sur ton copain / ta copine!**

*Exemple* **1** *Sa passion, c'est...*
**a** *les ordinateurs*
**b** *le sport*

# 2 Labo-langue

## Bien comprendre! *French verbs (1)*

What you need to make a great sentence is a verb to describe what goes on in that sentence.

In the dictionary, verbs are listed in a special form called the 'infinitive'. In French, there are three typical infinitive endings: *-er, –ir, –re*. Most verbs belong to one of these three groups.

to watch = **regarder**
to choose = **choisir**
to answer = **répondre**

Verbs change form in French as they do in English, depending on who is doing the action (*I go, he goes, they went*). To say who it is, you need a subject: a person, an animal or a thing. It can also be a pronoun.

**Subjects**
**je / j'** = I
**tu** = you
**Thomas / le vélo / il** = he, it
**Lola / la console / elle** = she, it

The tense is what indicates when the action takes place. We'll stick to the present tense for now. There are two forms of present tense in English but only one in French.

**The present tense**
**I play = je joue**
**I am playing = je joue**

To make a present tense of a regular verb:
**1** chop off the ending of the infinitive *(-er / -re / -ir)*
**2** replace with the ending that matches the subject

**jouer → jou/er**
**je jou + e**
**tu jou + es**
**il/elle jou + e**

To say what is not going on, you need a negative. It normally comes in two bits on either side of the main verb.

**ne / n' + *verb* + pas**
**je joue → je ne joue pas**
**ne / n' + *verb* + pas** + *infinitive*
**j'aime jouer → je n'aime pas jouer**

**1 Put the words in order.**

- **a** Elle un DVD regarde.
- **b** joue Je ne pas.
- **c** Elle écouter adore des CD.
- **d** aimes regarder Tu n'... pas la télé?

**2 Fill in the gaps with the correct form of the verb.**

- **a** J' *** bien faire du sport. *[aimer]*
- **b** Tu ne *** pas la télé? *[regarder]*
- **c** Papa *** écouter la radio. *[adorer]*
- **d** Lucie *** ranger sa chambre. *[détester]*

## Bien apprendre! *Using a bilingual dictionary*

READING **1** **Look at a bilingual dictionary. On which pages will you find...?**

- **a** the French – English section
- **b** the English – French section
- **c** advice on how to use the dictionary
- **d** useful vocabulary and verb tables

READING **2** **Look at the extract from the dictionary. Where does it say...?**

- **a** if the word is a noun, a verb, etc.
- **b** if a word is masculine or feminine
- **c** what the plural of a noun is
- **d** which group a verb belongs to

WRITING **3** **Use the dictionary to translate.**

- **a** I <u>love</u> to dance.
- **b** I <u>like</u> to watch TV.
- **c** C'est mon <u>tour</u>?
- **d** J'aime bien <u>dîner</u> avec toi.

SPEAKING **4** **In what form are verbs listed in the dictionary?**

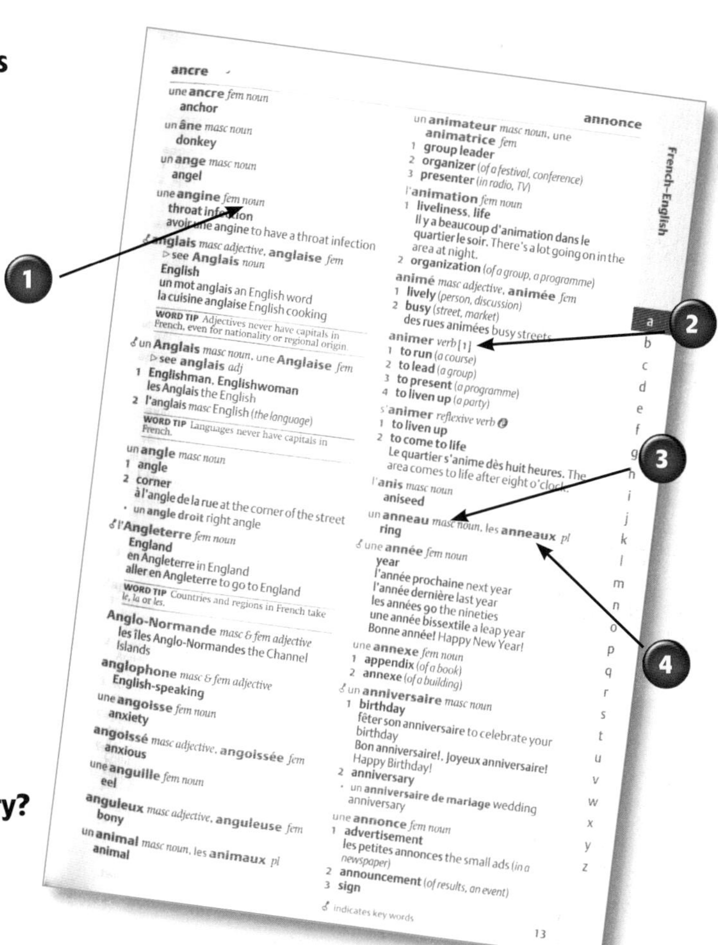

ancre

une **ancre** *fem noun*
**anchor**
un **âne** *masc noun*
**donkey**
un **ange** *masc noun*
**angel**
une **angine** *fem noun*
**throat infection**
avoir une angine to have a throat infection
♂ **anglais** *masc adjective*, **anglaise** *fem*
▷ see **Anglais** *noun*
**English**
un mot anglais an English word
la cuisine anglaise English cooking
WORD TIP Adjectives never have capitals in French, even for nationality or regional origin.
♂ un **Anglais** *masc noun*, une **Anglaise** *fem*
▷ see **anglais** *adj*
1 **Englishman, Englishwoman**
les Anglais the English
2 **l'anglais** *masc* English *(the language)*
WORD TIP Languages never have capitals in French.
un **angle** *masc noun*
1 **angle**
2 **corner**
à l'angle de la rue at the corner of the street
• un **angle droit** right angle
♂ l'**Angleterre** *fem noun*
**England**
en Angleterre in England
aller en Angleterre to go to England
WORD TIP Countries and regions in French take le, la or les.
**Anglo-Normande** *masc & fem adjective*
les îles Anglo-Normandes the Channel Islands
**anglophone** *masc & fem adjective*
**English-speaking**
une **angoisse** *fem noun*
**anxiety**
**angoissé** *masc adjective*, **angoissée** *fem*
**anxious**
une **anguille** *fem noun*
**eel**
**anguleux** *masc adjective*, **anguleuse** *fem*
**bony**
un **animal** *masc noun*, les **animaux** *pl*
**animal**

annonce

un **animateur** *masc noun*, une **animatrice** *fem*
1 **group leader**
2 **organizer** *(of a festival, conference)*
3 **presenter** *(in radio, TV)*
l'**animation** *fem noun*
1 **liveliness, life**
Il y a beaucoup d'animation dans le quartier le soir. There's a lot going on in the area at night.
2 **organization** *(of a group, a programme)*
**animé** *masc adjective*, **animée** *fem*
1 **lively** *(person, discussion)*
2 **busy** *(street, market)*
des rues animées busy streets
**animer** *verb* [1]
1 **to run** *(a course)*
2 **to lead** *(a group)*
3 **to present** *(a programme)*
4 **to liven up** *(a party)*
s'**animer** *reflexive verb*
1 **to liven up**
2 **to come to life**
Le quartier s'anime dès huit heures. The area comes to life after eight o'clock.
l'**anis** *masc noun*
**aniseed**
un **anneau** *masc noun*, les **anneaux** *pl*
**ring**
♂ une **année** *fem noun*
**year**
l'année prochaine next year
l'année dernière last year
les années 90 the nineties
une année bissextile a leap year
Bonne année! Happy New Year!
une **annexe** *fem noun*
1 **appendix** *(of a book)*
2 **annexe** *(of a building)*
♂ un **anniversaire** *masc noun*
1 **birthday**
fêter son anniversaire to celebrate your birthday
Bon anniversaire!, Joyeux anniversaire! Happy Birthday!
2 **anniversary**
• un **anniversaire de mariage** wedding anniversary
une **annonce** *fem noun*
1 **advertisement**
les petites annonces the small ads *(in a newspaper)*
2 **announcement** *(of results, an event)*
3 **sign**

♂ indicates key words

13



## Bien parler! *Silent letters*

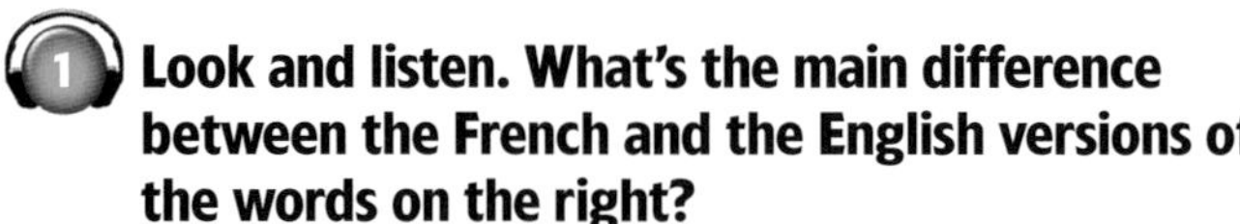

**1** **Look and listen. What's the main difference between the French and the English versions of the words on the right?**

**blond • long • Paris • rat • lit • sport**

**2** **Listen carefully. Which words on the right have silent final consonants?**

**le club • Clic! • quand • Bof! • long • Beurk! • avril • Non, non, non! • trop • cinq • adorer • janvier • mais • le chat • jeux • riz**

SPEAKING **3** **Say these phrases aloud. Listen to check!**

- **a** Salut les copains!
- **b** Tu as des cadeaux?
- **c** Non! C'est faux!
- **d** En janvier, en juin ou en juillet?
- **e** Tu as beaucoup trop de devoirs!

**Final consonants**
Usually silent:
**d, g, m, n, p, r** (*in* ***er*** *or* ***ier***) **s, t, x, z**
Usually pronounced:
**b, c, f, k, l, q, r**

**Exceptions**
*(usually foreign words)*
**week-end**
**blog film**
**hip hop rap**
**foot Internet...**

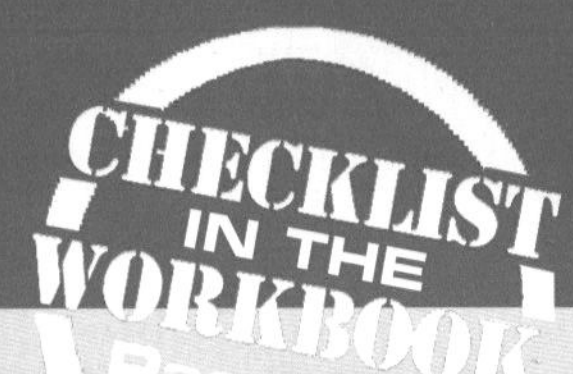


# Bienvenue sur le blog d'Alex

**Pseudo:** aikidokid
**Lieu:** Nantes, France
**Nationalité:** Français
**Âge:** 12 ans
**Passion:** la Chine
**Idole:** Jet Li

**Ma photo du jour:**

VIDEO

**1 Regarde le vidéo-blog. Choisis 1 ou 2.**
Watch Alex's video diary. Select the correct answers for him.

**a Tu as quel âge?**
J'ai **1** 12 ans **2** 13 ans

**b C'est quand, ton anniversaire?**
C'est **1** le 31 mars **2** le 31 mai

**c Quelle est la date aujourd'hui?**
C'est **1** le 21 mai **2** le 21 septembre

**d C'est quoi, ta fête préférée?**
C'est **1** mon anniversaire **2** le Nouvel An chinois

**e C'est quoi, ton animal préféré?**
Mon animal préféré, c'est
**1** le rat **2** le panda

**f Tu as un animal?**
**1** Oui, j'ai un chat. **2** Non, je n'ai pas d'animal.

**g Qu'est-ce que tu aimes faire le week-end?**
**1** J'aime bien faire du sport.
**2** J'aime bien faire de l'aikido.

**h Comment est ton copain idéal ou ta copine idéale?**
Il/Elle **1** adore **2** déteste faire du shopping.

SPEAKING

**2 À toi de répondre!**
Give your own answers to the questions.



Visit Clic! OxBox

## 1 Écoute!

Listen (1–6) and note. Who speaks about...?

Exemple *1 b*

**a** their age
**b** their favourite animal
**c** their friend
**d** their pet
**e** their favourite festival
**f** the date

**Défi!**

Note the information for each point.

Example *1 = chat + lapin*

## 2 Lis!

Read and find.

Exemple **a** = *He's 12.*

**a** Bruno's age
**b** his favourite hobby
**c** a sport he likes
**d** a sport he doesn't like
**e** his friend's name
**f** his friend's favourite hobby

Salut! Je m'appelle Bruno. J'ai douze ans. Mon anniversaire, c'est le 28 juillet. Ma passion, c'est la musique. J'adore ça! J'ai un copain. Il s'appelle Étienne. Il a treize ans. Sa passion, c'est les jeux vidéo. Il adore ça! Moi, je n'aime pas beaucoup ça, je préfère le sport: j'adore le football mais je n'aime pas beaucoup le rugby.

**Défi!**

What other details does Bruno give?

Example *his birthday*

## 3 Écris!

Copy the sentences in the correct order.

Exemple **a** = *J'ai un chien.*

**a** J' un chien. ai
**b** aime télé. regarder la J'
**c** le Mon juin. c'est anniversaire, 8
**d** le Je chambre ma week-end. range
**e** le n'aime football. beaucoup Je pas
**f** musées. aime copine des visiter Ma idéale

**Défi!**

Adapt these sentences so that they are true for you.

Example *Je n'ai pas de chien.*

## 4 Parle!

Mini-interview. Look at the photo. Imagine how he might answer the questions.

Exemple **a** = *J'ai 15 ans.*

**a** Tu as quel âge? J'ai...
**b** C'est quand ton anniversaire? Mon anniversaire, c'est le...
**c** C'est quoi, ton animal préféré? Mon animal préféré, c'est le/la...
**d** Tu as un animal? Oui, j'ai un/une... / Non, je n'ai pas d'...
**e** Qu'est-ce que tu aimes faire le week-end? J'aime...

**Some ideas to help you:**
I'm 15 years old. My birthday's on July 11th. My favourite animal is the dog. I have a dog. At the weekend, I love playing football.

**Défi!**

Interview your partner.

**Lis.**

Read the statements below. Work out which animals in this shelter haven't yet been adopted.

- **a** J'ai un chien.
- **b** J'ai un cheval et un oiseau.
- **c** J'ai un chat. Il s'appelle Sacha. Il a un an.
- **d** J'ai une tortue. Elle s'appelle Lulu et elle a deux ans.
- **e** J'ai un lapin. Il s'appelle Pinpin et il a trois ans. J'aime les lapins!

**À deux: le morpion.**

Play noughts and crosses with the pictures. Make a sentence to win a square. Make it as long as possible!

**Relie. Qui n'a pas d'animal?**

Read and match the remaining pets to the people. Who's left without a pet?

**Lulu**: J'aime les animaux mais je n'aime pas beaucoup les rats.
**Lola**: Je n'aime pas les poissons!
**Lili**: J'aime les animaux et surtout les souris.
**Loulou**: Mon animal préféré? Le rat!

**Parle.**

Say which pet each person has.

*Exemple* *Lulu a un..., etc....*

**ai** and **aime** look very similar, but be careful!

**J'ai = I have**

*J'ai un animal. = I have a pet.*

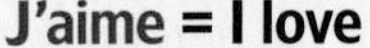

**J'aime = I love**

*J'aime les animaux. = I love animals.*

## Le premier avril

French children play tricks on their friends and try to stick paper fish on their teachers' backs without them noticing! There are also hoaxes on the radio and TV.

## Le 14 juillet

It's Bastille Day, France's national day, commemorating the French Revolution of 1789. There is a military parade in Paris, street parties and fireworks everywhere in the country.

## Le 24 et le 31 décembre

The French celebrate both days with a *'réveillon'*: a party with a late dinner and very special food. They don't send Christmas cards but New Year cards in January.

| JUILLET | | | |
|---|---|---|---|
| Les jours diminuent de 58 mn | | | |
| 1 | M | Thierry | |
| 2 | J | Martinien | |
| 3 | V | Thomas | |
| 4 | S | Florent | |
| 5 | D | Antoine-Marie | |
| 6 | L | Marietta | 28 |
| 7 | M | Raoul | |
| 8 | M | Thibaut | |
| 9 | J | Amandine | |
| 10 | V | Ulrich | |
| 11 | S | Benoît | |
| 12 | D | Olivier | |
| 13 | L | Henri/Joël | 29 |
| 14 | M | F. NATIONALE | |
| 15 | M | Donald | |
| 16 | J | N.-D. Mt C. | |
| 17 | V | Charlotte | |

| AOÛT | | | |
|---|---|---|---|
| Les jours diminuent de 1 h 37 | | | |
| 1 | S | Alphonse | |
| 2 | D | Julien | |
| 3 | L | Lydie | 32 |
| 4 | M | J.-M. Vianney | |
| 5 | M | Abel | |
| 6 | J | Transfiguration | |
| 7 | V | Gaétan | |
| 8 | S | Dominique | |
| 9 | D | Amour | |
| 10 | L | Laurent | 33 |
| 11 | M | Claire | |
| 12 | M | Clarisse | |
| 13 | J | Hippolyte | |
| 14 | V | Evrard | |
| 15 | S | ASSOMPTION | |
| 16 | D | Armel | |
| 17 | L | Hyacinthe | 34 |
| | M | Hélène | |

## La fête

Each day of the French calendar is dedicated to a saint. If you have the same name as the saint, it becomes your name day. Some young children get a small present.

**1 Relie les bulles aux bonnes fêtes.**
Match the bubbles to each of the occasions.

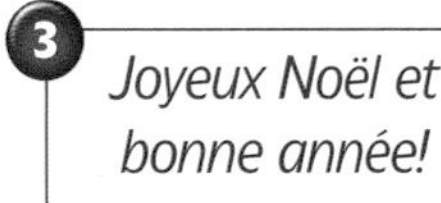

**2 Which *fête* would you like to celebrate the French way? Why?**

# 2 Vocabulaire

| **Mes passions** | ***My hobbies*** |
|---|---|
| Tu aimes...? | *Do you like...?* |
| J'aime... | *I like...* |
| Je n'aime pas... | *I don't like...* |
| la musique | *music* |
| le sport | *sport* |
| les films (d'action) | *(action) movies* |
| les ordinateurs | *computers* |
| les jeux vidéo | *video games* |
| les animaux | *animals* |
| J'aime ça! | *I like that!* |
| Je n'aime pas ça! | *I don't like that!* |

| **Tu as un animal?** | ***Do you have a pet?*** |
|---|---|
| J'ai un chat. | *I have a cat.* |
| Je n'ai pas de chat. | *I haven't got a cat.* |
| Je n'ai pas d'animal. | *I don't have a pet.* |
| un chien | *a dog* |
| un lapin | *a rabbit* |
| un oiseau | *a bird* |
| un poisson | *a fish* |

| **11–31** | ***11–31*** |
|---|---|
| onze | *11* |
| douze | *12* |
| treize | *13* |
| quatorze | *14* |
| quinze | *15* |
| seize | *16* |
| dix-sept | *17* |
| dix-huit | *18* |
| dix-neuf | *19* |
| vingt | *20* |
| vingt et un | *21* |
| vingt-deux, etc. | *22, etc.* |
| trente | *30* |
| trente et un | *31* |

| **Mois de l'année** | ***Months of the year*** |
|---|---|
| janvier | *January* |
| février | *February* |
| mars | *March* |
| avril | *April* |
| mai | *May* |
| juin | *June* |
| juillet | *July* |
| août | *August* |
| septembre | *September* |
| octobre | *October* |
| novembre | *November* |
| décembre | *December* |

| **Les fêtes** | ***Special occasions*** |
|---|---|
| le Nouvel An | *New Year* |
| la Chandeleur | *the French equivalent to Pancake Day* |
| Pâques | *Easter* |
| le premier avril | *April Fool's Day* |
| la fête des Mères | *Mother's Day* |
| la fête des Pères | *Father's Day* |
| la Fête Nationale | *National Day* |
| la fête | *name day* |
| l'anniversaire | *birthday* |
| la Toussaint | *All Saints' Day* |
| Noël | *Christmas* |
| Ma fête préférée, c'est... | *My favourite festival is...* |

| **Tu as quel âge?** | ***How old are you?*** |
|---|---|
| J'ai... ans. | *I am... (years old).* |
| C'est quand, ton anniversaire? | *When's your birthday?* |
| Mon anniversaire, c'est... | *My birthday's on...* |
| C'est le premier mai. | *It's the 1st of May.* |

| **Qu'est-ce que tu aimes faire le week-end?** | ***What do you like to do at the weekend?*** |
|---|---|
| J'aime bien... | *I like...* |
| J'adore... | *I love...* |
| Je n'aime pas beaucoup... | *I don't really like...* |
| Je déteste... | *I hate...* |
| faire mes devoirs | *to do my homework* |
| faire du sport | *to do some sport* |
| jouer avec mon chien | *to play with my dog* |
| regarder la télé | *to watch TV* |
| visiter des sites Internet | *to browse on the Internet* |
| visiter des musées | *to visit museums* |
| jouer sur l'ordinateur | *to play on the computer* |
| écouter des CD | *to listen to CDs* |
| ranger ma chambre | *to tidy my bedroom* |

| **Qu'est-ce que tu fais?** | ***What do you do?*** |
|---|---|
| Je fais mes devoirs. | *I do my homework.* |
| Je fais du sport. | *I do some sport.* |
| Je range ma chambre. | *I tidy my bedroom.* |
| Je visite des sites Internet. | *I browse the Internet.* |
| Je regarde la télé. | *I watch TV.* |
| Je joue avec mon chien. | *I play with my dog.* |
| Super! | *Really good!* |
| Youpi! | *Hurray!* |
| Génial! | *Great!* |
| Bof! | *So so!* |
| Nul! | *Rubbish!* |
| Beurk! | *Yuck!* |

| **Comment est ton copain idéal ou ta copine idéale?** | ***What's your ideal friend like?*** |
|---|---|
| mon copain idéal | *my ideal (boy)friend* |
| ma copine idéale | *my ideal (girl)friend* |
| Il/Elle aime regarder la télé. | *He/She likes watching TV.* |
| Le week-end, il/elle fait ses devoirs. | *At the weekend, he/she does his/her homework* |
| Sa passion, c'est la musique. | *His/Her passion is music.* |
| Son animal préféré, c'est le chien. | *His/Her favourite animal is a dog.* |

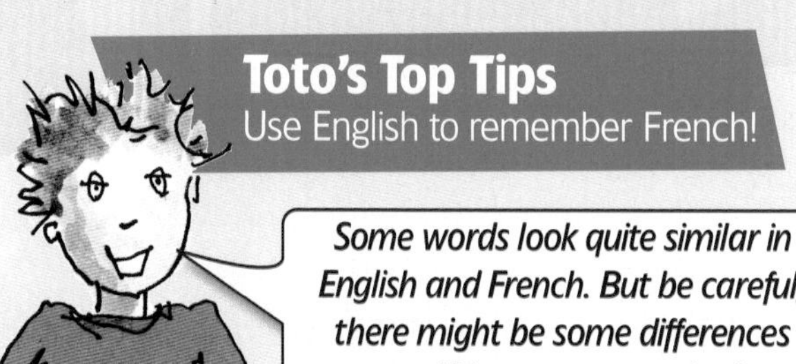

**Toto's Top Tips**
Use English to remember French!

*Some words look quite similar in English and French. But be careful, there might be some differences you'll have to remember!*

**A** **Look at pages 44–45 and find a series of 12 words which this tip will help you remember.**

**B** **Can you spot one main difference between all the French words and the English words?**

## Yo, je kiffe!

Yo! Qu'est-ce que tu aimes faire?
J'aime faire du sport.
Le sport, super! J'adore le sport!

Yo! Qu'est-ce que tu aimes faire?
J'aime faire du ski.
Le ski, youpi! J'adore le ski!

Yo! Qu'est-ce que tu aimes faire?
J'aime faire du cheval!
Le cheval, génial! J'adore le cheval!

Yo! Qu'est-ce que tu aimes faire?
Moi, j'aime danser!
Danser, le pied*! J'adore danser!

Yo! Qu'est-ce que tu aimes faire?
J'aime faire du rap!
Le rap, c'est cool! Moi, je kiffe* le rap!

Je kiffe le rap! Tu kiffes le rap!
Elle kiffe le rap! Il kiffe le rap!
On* kiffe le rap!

* *le pied* = great (slang word)
*kiffer* = to love (slang word)
*on* = we

READING **1** **C'est dans quel ordre?**
In what order are these pastimes mentioned?

**a** dancing
**b** rapping
**c** horseriding
**d** skiing
**e** sport

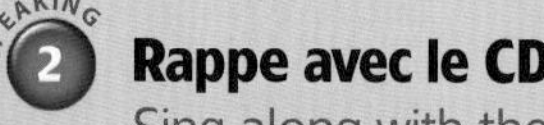

SPEAKING **2** **Rappe avec le CD!**
Sing along with the CD.

WRITING **3** **Invente un couplet!**
Invent another verse!

*Yo! Qu'est-ce que tu aimes faire?*
*Moi, j'aime le foot!*
*Le foot, super! J'adore le foot!*

# A

# collège 3

Context: **School**

Grammar focus: **Verbs (2)**

## L'école en France

**Subjects studied for 4 years in a *collège*:**

French, Maths, History, Geography, Biology, Geology, Foreign languages (1 or 2), Physics, Chemistry, Technology, Art, Music, Latin or Greek, Physical Education, Citizenship

Compulsory school age: 6 to 16
**5 to 16 in the UK**
Average hours at school per week: 27 hours in primary, 30 hours in a *collège*
**21 and 22 in the UK**
Average school holidays per year: 16 weeks
**13 in the UK**
Average school days per year: 180
**190 in the UK**

READING **1** **Regarde les photos. C'est en France ou en Grande-Bretagne?**

SPEAKING **2** **L'école, c'est bien en France? En Grande-Bretagne? Discute en anglais.**

Visit 

# 3.1 Les matières: top ou flop?

- Subjects you like and don't like

## Les matières 1

*J'aime / Je n'aime pas ...*

**a** l'allemand
**b** l'anglais
**c** la biologie
**d** la chimie
**e** le dessin
**f** l'EPS (= éducation physique et sportive)
**g** l'espagnol
**h** le français
**i** la géographie (ou la géo)
**j** l'histoire
**k** les mathématiques (ou les maths)
**l** la musique
**m** la physique (les sciences)
**n** la technologie

READING **1** **Regarde les photos. C'est quelle matière?**

VIDEO **2** **Regarde la vidéo. Note les matières.**

Exemple **1** = i *(la géographie)*

VIDEO **3** **Regarde la vidéo encore une fois. Ils aiment la matière? Écris ♥ ou ✗♥.**

Exemple **i =** ♥

WRITING **4a** **Donne ton opinion.**

Exemple *J'aime bien l'anglais. Je n'aime pas beaucoup l'EPS.*

WRITING **4b** **A interviewe B. (B→A)**

Exemple **A** *Tu aimes les maths?* **B** *Oui, j'adore les maths*

## Les matières 2

VIDEO **5** **Note les cinq matières préférées dans le clip.**

 = *j'adore / j'aime beaucoup*

 = *j'aime (bien)...*

 = *je n'aime pas...*

 = *je déteste...*

## 6 Sondage

Exemple **A** *Ta matière préférée, c'est quoi?*
**B** *Ma matière préférée, c'est le français.*

Salut!
Nous sommes la classe de sixième B au Collège Alain-Fournier. Nous aimons beaucoup le collège. Nous adorons les sciences, surtout* la chimie – c'est intéressant et le prof* est super. Nous aimons beaucoup le français et l'anglais, mais nous n'aimons pas l'histoire-géo. C'est difficile! Et nous détestons le dessin. Le prof n'est pas cool. Nous aimons aussi EPS. Les garçons*, ils adorent le football mais les filles*, elles préfèrent le basket. Et vous? Vous aimez le collège? Vous aimez quelles matières?
Au revoir!

* *surtout* = especially
*le prof* = *le professeur* = teacher
*un garçon* = boy
*une fille* = girl

Matières top en France
1 le français
2 les maths
3 l'histoire


***En France, on préfère... le français!***

***nous*** = we, us
***vous*** = you
***ils/elles*** = they

***et*** = and ***mais*** = but

## 7a Écoute et lis. Réponds.

**a** Les élèves aiment quelles matières?
**b** Ils n'aiment pas quelles matières?
**c** Ils aiment le prof de chimie?
**d** Ils aiment le prof de dessin?
**e** Les filles aiment le football?

## 7b Grammaire: trouve...

**a** 3 exemples de *nous* + verbe
**b** 1 exemple de *vous* + verbe
**c** 2 exemples de *ils/elles* + verbe

### Grammaire

**Plural verb endings**

| | | |
|---|---|---|
| *nous* | *-ons* | (we) |
| *vous* | *-ez* | (you – plural) |
| *ils/elles* | *-ent* | (they) |

These letters are not pronounced when speaking.

## 8a À deux.

Agree with a partner two or three subjects you like and two or three you don't like.

Exemple **A** *J'aime bien les maths.*
**B** *Moi aussi! / Pas moi, je n'aime pas les maths.*

## 8b Contre la montre: devinez!

Speed challenge: How quickly can you and your partner guess another pair's likes and dislikes?

Exemple *Vous aimez la musique?* *Non.*
*Vous n'aimez pas la musique?* *Nous détestons la musique!*

## 9 Écris un message pour tes camarades et toi.

Exemple *Nous adorons... Nous n'aimons pas beaucoup...*

# 3.2 Quelle heure est-il?

- Numbers up to 60; your school timetable; how to tell time

**Écoute les nombres, répète et continue.**

Exemple *20, 21, ... 22*

**vingt** **trente** **quarante** **cinquante** **soixante**

21, 31, 41, 51 use ***et*** and hyphens to join the numbers:
***vingt-et-un***
All the rest use a hyphen:
***vingt-deux***

## Quelle heure est-il?
## Il est...

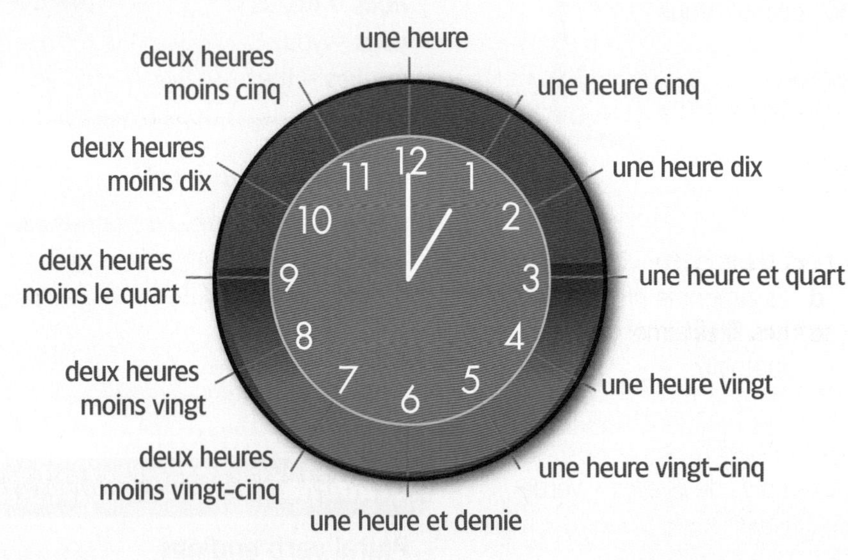

Il est midi.

Il est minuit.

**Écoute 1–6. C'est quelle montre?**

a 

b 

c 

d 

e 

f 

**À deux. (B→A)**
In pairs, play 'Read my Lips.' **A** mouths a time (a–f) and **B** points to the corresponding watch.

**Mehdi:** *Le lundi, à neuf heures et demie, on a chimie.*

**Lola:** *Le jeudi, à deux heures, on a français.*

**Thomas:** *Le mardi, à trois heures, on a sciences.*

**Emploi du temps — Classe 6–1**

| | lundi | mardi | mercredi | jeudi | vendredi |
|---|---|---|---|---|---|
| 8 h 30 | physique | maths | EPS | dessin | |
| 9 h 30 | chimie | français | maths | français | maths |
| 10 h 30 | récréation | récréation | récréation | récréation | récréation |
| 10 h 45 | EPS | | musique | maths | français |
| 11 h 45 | anglais | allemand | | anglais | musique |
| 12 h 45 | déjeuner | déjeuner | déjeuner | déjeuner | déjeuner |
| 2 h 00 | géo | histoire | | musique | allemand |
| 3 h 00 | | technologie | | | sciences |
| 4 h 00 | | biologie | | français | géo |

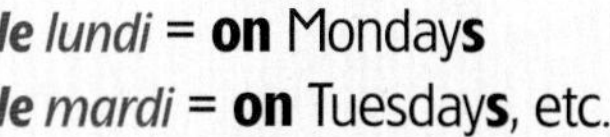

*le lundi* = **on** Monday**s**
*le mardi* = **on** Tuesday**s**, etc.

**on** = we
*(especially when talking to friends)*

**3 Lis les bulles et l'emploi du temps. Qui est dans cette classe?**

**4 A invente des phrases sur l'emploi du temps. B dit vrai ou faux.**

**A** *Le jeudi, à huit heures et demie, on a maths.* **B** *Vrai.*

**5 Écoute et lis Lola et Nico. Quel est le problème?**

*Lola*: Il est onze heures moins cinq. On a histoire à onze heures, non?
*Nico*: Tu as histoire? Non! On a français!
*Lola*: J'ai français? Oh non, je suis bête*... je n'ai pas mon livre de français.
*Nico*: Tu es sûre?
*Lola*: Oui, et c'est Madame Martin...
*Nico*: Oh là là... elle est super sévère, Madame Martin!
*Lola*: Aaaaaaaah! Je déteste le lundi!

* *bête* = stupid

**6 À deux: lisez la conversation avec la bonne intonation.**

### Défi!

**Décris *ton* emploi du temps en 75 mots *exactement*.**

Exemple *Le mardi, à dix heures, j'ai anglais. C'est intéressant. Le prof s'appelle Madame Rowe.*

# 3.3 Mon emploi du temps

- School objects; *avoir*

**Relie.**
Exemple *1* = **c** *un cartable, etc.*

**Écoute. Suis les objets dans la grille avec ton doigt. Qui parle?**

**À deux: A dit le nom de huit objets pour arriver à Joseph.**
**B suit (=** *follows the trail*)**. (B→A)**

| *J'ai* | = | I have |
|---|---|---|
| *Tu as* | = | you have |

**À deux: jeu de mémoire. (B→A)**

Exemple **A** *Dans mon cartable, **j'ai** deux livres, un cahier, etc.*
**B** *Dans ton cartable, **tu as** deux livres, un cahier, etc.*

**Écoute. Note les objets de Léo.**

Exemple *Il a (c, ...) Il n'a pas de (g, ...)*

| Il a | un<br>une<br>des | cahier / cartable / crayons de couleur / dictionnaire etc. |
|---|---|---|
| Il n'a pas | de | |

### *Les affaires d'école*

**a** un cahier
**b** une calculatrice
**c** un cartable
**d** un classeur
**e** une clé USB
**f** un compas
**g** des crayons de couleur
**h** un crayon
**i** un dictionnaire
**j** des feutres
**k** une gomme
**l** un livre
**m** une règle
**n** un stylo bille
**o** une trousse
**p** un bâton de colle

Manon est au collège en France.
Joseph est à l'école primaire, au Burkina Faso.
Ils parlent sur Internet.

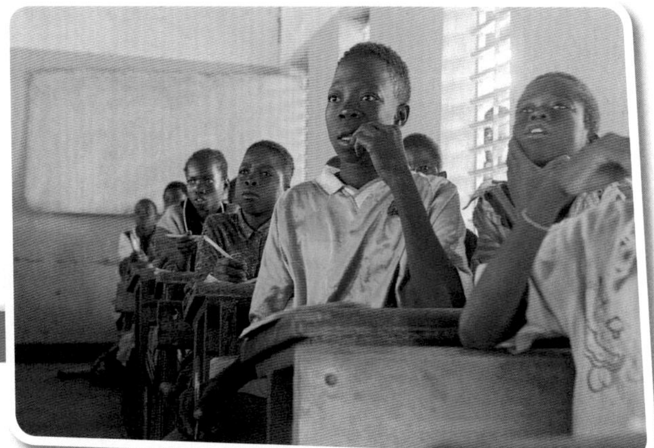

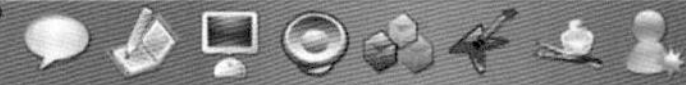

| | |
|---|---|
| Manon | **Vous avez combien d'élèves dans ta classe?** |
| Joseph | Nous avons environ 65 élèves dans ma classe. |
| Manon | C'est beaucoup :-( En général, ici, nous avons 30 élèves par classe. |
| Manon | **Qu'est-ce que vous avez dans les classes?** |
| Joseph | Nous avons des tables, des chaises et un tableau noir. C'est bien parce que certaines écoles ici n'ont pas de tables et de chaises! Et en France? |
| Manon | Ici, nous avons des tables, des chaises, un tableau blanc, des ordinateurs et une télévision. Certaines classes ont aussi un TBI (un tableau blanc interactif) et un lecteur DVD. |
| Joseph | Vous avez de la chance!* |

* You're lucky!

**6 Écoute et lis. C'est quoi en anglais?**

- **a** un élève
- **b** une table
- **c** une chaise
- **d** un tableau noir
- **e** un tableau blanc interactif
- **f** un ordinateur
- **g** une ardoise
- **h** un lecteur DVD

**7a Grammaire: relis le texte. Trouve en français...**

- **a** we have
- **b** you have
- **c** certain schools don't have
- **d** certain classes have

**7b Grammaire: lance un dé et fais des phrases avec le verbe *avoir*.**

Exemple  = *On a des livres.*

**8 Réponds aux quatre questions de Manon. Discutez en groupes et comparez.**

Exemple *Nous avons 25 élèves dans la classe. Nous avons un tableau blanc, etc. Nous n'avons pas de...*

## Grammaire

**avoir = *to have***

| | | | |
|---|---|---|---|
| Singular | **J'ai** | **Tu as** | **Il/Elle/ On a** |
| Negative | **Nous avons** | **Vous avez** | **Ils/Elles ont** |

## Défi!

Can you think of when you have met parts of *avoir* before?

# 3.4 Bien équipés!

- **Explain problems and make excuses; the perfect tense**

**1 Relie les dessins (p. 54) et les bulles a–g.**

Exemple **1** *a,...*

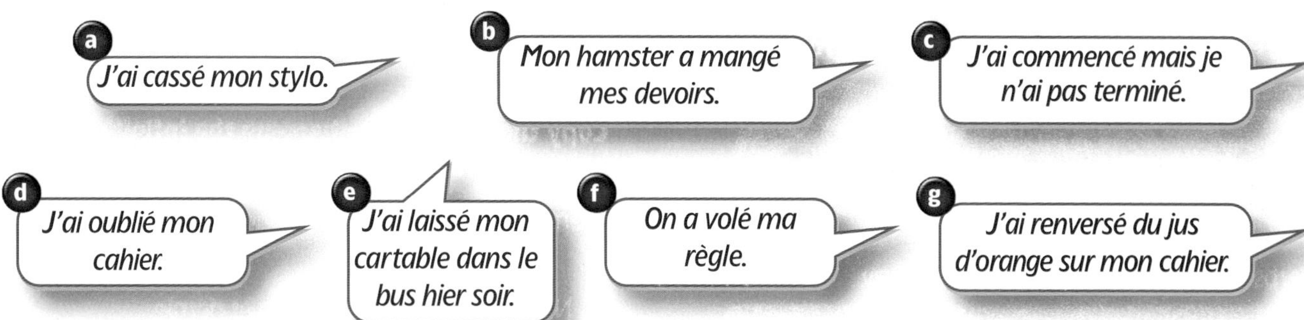

a J'ai cassé mon stylo.
b Mon hamster a mangé mes devoirs.
c J'ai commencé mais je n'ai pas terminé.
d J'ai oublié mon cahier.
e J'ai laissé mon cartable dans le bus hier soir.
f On a volé ma règle.
g J'ai renversé du jus d'orange sur mon cahier.


**2a Écoute. Indique le bon dessin.**

Exemple **6**, ...

**2b Qui invente son excuse? Donne ton opinion.**

**3 Réécoute. Comment dit-on: *I'm sorry?***

- **a** C'est trop difficile.
- **b** Excusez-moi.
- **c** Je suis désolé(e).

**4 Réécoute. On entend combien de fois?**

- **a** euh
- **b** alors

**5 Jeu de mémoire**

Exemple **A** *On a volé ma règle.*
**B** *On a volé ma trousse et j'ai cassé mon stylo.*
**C** *On a volé ma trousse, j'ai cassé mon stylo et j'ai oublié mon cahier.*

**6a Grammaire: il est huit heures et quart.
Le cours commence à huit heures. Écris les excuses.**

Exemple *(je) casser ma montre – J'ai cassé ma montre.*

- **a** (je) rater le bus
- **b** (je) renverser du jus d'orange sur mon cahier
- **c** (je) casser mon stylo
- **d** (je) laisser mon cartable dans le bus
- **e** (je) oublier mon cahier
- **f** (on) voler mon cahier

**6b Grammaire: traduis les excuses a–f en anglais. Voir page 139.**

Exemple *J'ai raté le bus. = I missed the bus.*

### Stratégies

Notice how French people hesitate when speaking:

***euh...***

***alors...***

### Grammaire

To talk about the past, use part of the verb ***avoir*** + past participle:

***j'ai*** / ***on a*** } + ***oublié***, ***cassé***, ***volé***

# 3 Labo-langue

## Bien comprendre! *French verbs (2)*

**A Most French verbs go into one of three groups, according to their infinitive ending:**

| *-er verbs* | *-ir verbs* | *-re verbs* |
|---|---|---|
| aimer | choisir | répondre |

All the verbs in a group behave in the same way.

**Plural endings for *-er* verbs:**

we = **nous...** **-ons** ***nous aimons***
you = **vous...** **-ez** ***vous aimez***
they = **ils** or **elles...** **-ent** ***ils aiment / elles aiment***

***Remember!***

*These letters are not pronounced when speaking, so **aiment** sounds like 'm'.*

**1 Copy the sentences, changing the infinitive in brackets to the right form.**

Exemple *Ils (poser) des questions. > Ils posent des questions.*

**a** Nous (arriver) à trois heures et demie.
**b** Vous (préférer) l'EPS?
**c** Elles (adorer) la musique pop.
**d** Nous (regarder) le sport à la télé.
**e** Mes parents (parler) français.

**B IRREGULAR verbs do not obey any group rules.**

Because there is no set pattern, you have to learn each irregular verb by heart. Is it worth it? Yes, because most of these verbs are very common and crop up a lot.

Some irregular verbs have infinitives ending like regular verbs: ***faire***, ***aller***, etc. But don't be fooled!

**C *avoir* (= to have) and *être* (= to be)**

You must know these two very useful verbs.
You use them to say 'I have', 'he has', etc or 'I am', 'she is', etc.
They are also used to make up the perfect tense – to talk about what happened in the past.

The English past tense often uses two parts as well:
*I have forgotten, he has gone,* etc.

**2 Learn these special verbs by heart. Write them out, then ask a partner to test you.**

| avoir – *to have* | être – *to be* |
|---|---|
| j'ai | je suis |
| tu as | tu es |
| il/elle/on a | il/elle/on est |
| nous avons | nous sommes |
| vous avez | vous êtes |
| ils/elles ont | ils/elles sont |

**3 Write these sentences using the correct part of *avoir* or *être*, and give the English.**

Exemple J' [?] EPS. > J'ai EPS. = *I have PE*.

**a** Je [?] française.
**b** Nous [?] deux ordinateurs.
**c** Ils [?] super.
**d** Tu [?] content?
**e** Vous [?] maths le lundi?
**f** Madame Leclerc [?] mon prof de géo.
**g** Paul [?] mon cahier.

## Bien apprendre! *Learning vocabulary*

**When can you say you really know a word or phrase?**

**Checklist**

1 Do you understand it? (when listening or reading)
2 Can you say it? (with pronunciation others will understand)
3 Can you write it? (with no spelling mistakes)
4 Can you use it in a sentence? (if appropriate, in a different context)

**Yes? Then you know it.**

 Always learn the gender (*le* or *la*) when learning a new noun.

**Try out the system.**

 **1 Can you understand the highlighted word? (If not, look it up in the glossary, page 144.)**

À dix heures et demie et à trois heures, c'est la récréation. On a une pause de quinze minutes. C'est nécessaire!

 **2 Ask your teacher to tell you how to pronounce the word and then say it five times.**

 **3a Copy the word five times.**

Be sure to include the gender and check you have the accents sloping the right way!

 **3b Write the word without copying. Get a partner to check it. If you made any mistakes, try again.**

 **4 Make up a sentence using the word, perhaps about your own school.**

 **5 Do the same for the highlighted words and phrases below.**

La salle de classe idéale est grande, moderne et décorée de posters. Elle est bien équipée et chaque élève a un ordinateur. C'est génial.

## Bien parler! *é*

 **1 There are several ways to write the same sound. Look and listen. List the words that contain the same sound as *é*.**

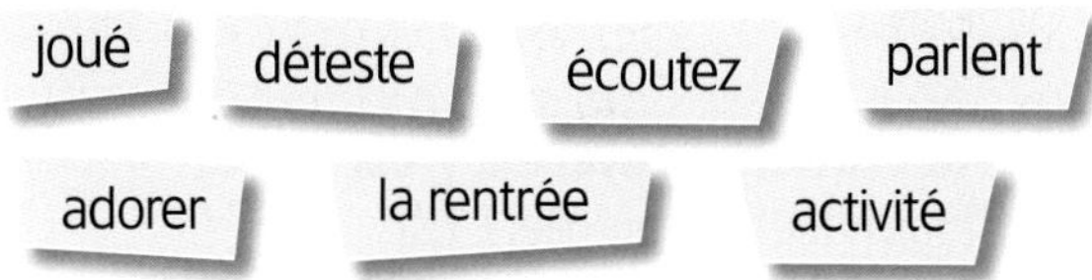

 **2a Say these words aloud. Which word does not rhyme with the rest?**

 **2b Listen to check.**

 **3 List any other words you know that include this sound.**

### Défi!

Continue the poem, making the ends of the lines rhyme.

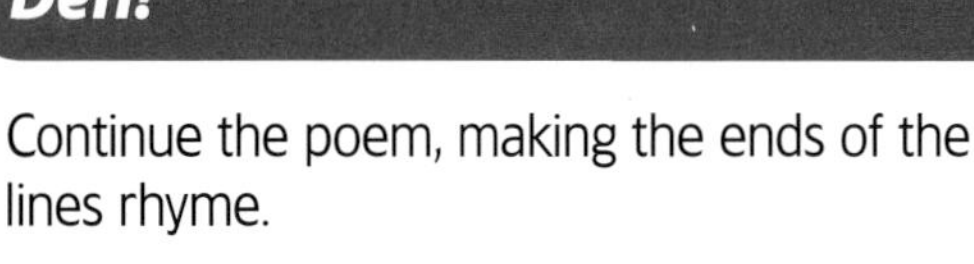

Je m'appelle René
Je suis burkinabé
J'aime…
Hier, j'ai…
Et…

# Bienvenue sur le blog de Yasmina

Pseudo: Nas2
Lieu: Nantes, France
Nationalité: Française/Algérienne
Âge: 13 ans
Passion: le foot
Idole: Samir Nasri

Ma photo du jour:

VIDEO **1 Regarde le vidéo-blog. Réponds pour Yasmina.**

a **C'est quel jour aujourd'hui?**
Aujourd'hui, c'est...

b **Comment s'appelle ton collège?**
Mon collège s'appelle...

c **Vous êtes combien dans ta classe?**
Nous sommes...

d **Vous êtes bien équipés au collège?**
Nous avons... / Nous n'avons pas...

e **Quelle heure est-il?**
Il est...

f **Tu as besoin de quoi dans ton cartable aujourd'hui?**
J'ai besoin (de)...

g **Tu aimes quelles matières?**
J'aime bien...

h **Tu as quelles matières le lundi à 9 h 30?**
À 9 h 30, j'ai...

i **Où sont tes devoirs?**
Euh...

j **Ta matière préférée, c'est quoi?**
Ma matière préférée, c'est...

SPEAKING **2 À ton tour: réponds aux questions!**

WRITING **3 Poste un message sur ton collège sur ton blog (max. 100 mots).**

# TEST Tu sais tout? 3

## Écoute!

Listen and note **a** or **b**.

Exemple **1** = *b*

## Parle!

Answer the question: *Ta matière préférée, c'est quoi?*

**Choose two different subjects, and explain the day and time you have them.**

## Lis!

Read Lola's message. Write in English what her problem is and four things she needs.

J'ai un problème: j'ai laissé mon cartable dans le bus.
On a technologie aujourd'hui. J'ai mon cahier et des crayons, mais j'ai besoin d'une règle, d'une calculatrice, d'un bâton de colle et d'un stylo bille. Peux-tu m'aider?

## Écris!

Write a paragraph, giving the following information:

- **a** the name of your school
- **b** the subjects you like
- **c** the subjects you don't like
- **d** the day and time you have the first French lesson of the week
- **e** the day and time of your last lesson on a Friday.

# En plus Des trucs pour réussir en classe

## 1 Relie.

Match the French and the English.

1 You don't eat in class.
2 You arrive on time.
3 You leave your Mp3 player at home.
4 You listen to the teacher.
5 You don't forget your homework.
6 You don't cheat.
7 You don't use your mobile phone in class.
8 You don't miss classes.

a On arrive à l'heure.
b On écoute le prof.
c On ne mange pas en classe.
d On ne triche pas.
e On ne sèche pas les cours.
f On n'utilise pas son portable en classe.
g On laisse son Mp3 à la maison.
h On n'oublie pas les devoirs.

## 2 Recopie.

Which are the most important tips? Discuss with a partner, then copy out sentences **a–h** in order of importance (starting with the one you think is most important).

**Grammaire**

**How to use the negative**

***ne* / *n'*** + *verb* + ***pas***
*Elle **n'**écoute **pas***

## 3 Explique.

Explain what Toto's friends are doing wrong.

Exemple **a** *Elle n'écoute pas le prof.*

## 4 N'oublie pas.

Did you learn any new words or phrases while working on this page? If so, try one of the tips on page 57 to help you remember them.

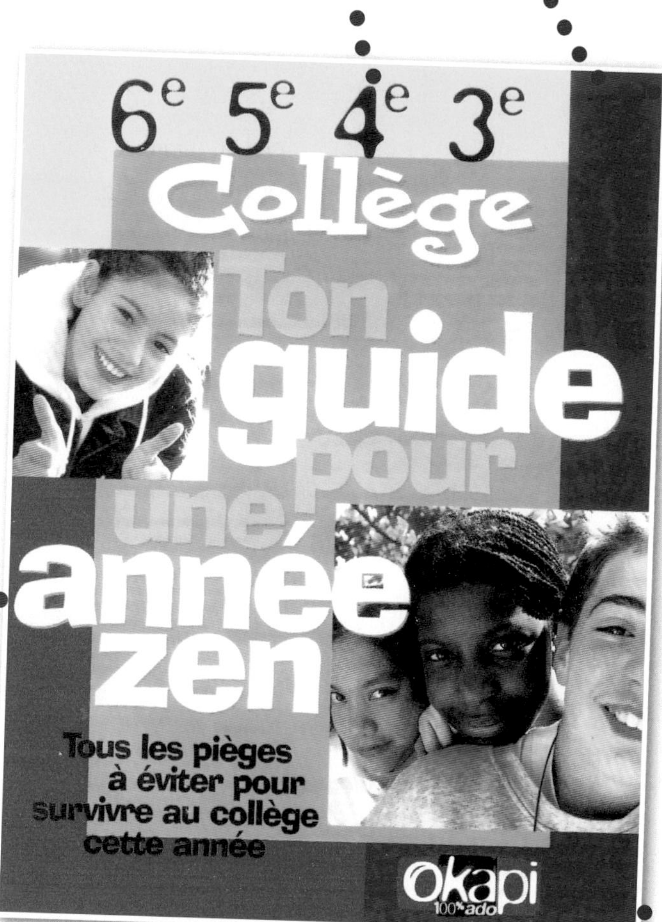


### Les classes du collège

6e (sixième) = 11/12 ans
5e (cinquième) = 12/13 ans
4e (quatrième) = 13/14 ans
3e (troisième) = 14/15 ans

Après la 3e, on change d'école. On va dans un lycée.

L'année scolaire commence début septembre et finit fin juin.

Un magazine pour adolescents.

### *Les langues au collège*

On commence à étudier une langue étrangère* – normalement, l'anglais – à l'école primaire.

* a foreign language

Les ***collèges*** et les ***lycées*** proposent l'étude de plus de dix langues: ***anglais, allemand, italien, espagnol, portugais, grec, danois, arabe, japonais, chinois, hébreu, russe***. En réalité, 90% des élèves de 6e choisissent l'anglais.

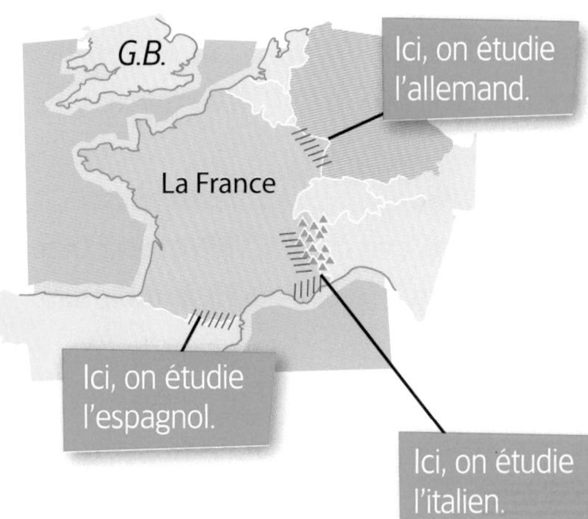

**Read the information on schools.**

READING **1** **What class would you be in if you lived in France?**

READING **2** **How is the school year in France different from yours?**

READING **3** **Why do you think German and Spanish are taught in some parts of France?**

WRITING **4** **List in English the languages offered by French schools.**

WRITING **5** **Look back through pages 47–60. Make a note of anything else you have learned about school in France.**

# 3 Vocabulaire

| **Les matières** | ***School subjects*** |
|---|---|
| l'allemand | *German* |
| l'anglais | *English* |
| la biologie | *biology* |
| la chimie | *chemistry* |
| le dessin | *art* |
| l'EPS (= éducation physique et sportive) | *PE* |
| l'espagnol | *Spanish* |
| le français | *French* |
| la géographie (*ou* la géo) | *geography* |
| l'histoire | *history* |
| les mathématiques (*ou* les maths) | *maths* |
| la musique | *music* |
| les sciences | *science* |
| la technologie | *technology* |
| le déjeuner | *lunchtime* |
| la récréation | *breaktime* |

| **J'aime... Je n'aime pas...** | ***I like... I don't like...*** |
|---|---|
| Tu aimes quelles matières? | *What school subjects do you like?* |
| J'adore (les sciences). | *I love (science).* |
| J'aime (bien) (l'histoire). | *I like (history).* |
| Je n'aime pas (beaucoup) (les maths). | *I don't (much) like (maths).* |
| Je déteste (la musique). | *I hate (music).* |
| Ta matiere préférée, c'est quoi? | *What's your favourite subject?* |
| Ma matière préférée, c'est le français. | *My favourite subject is French.* |
| C'est super. | *It's great.* |
| bien | *good* |
| intéressant | *interesting* |
| C'est nul. | *It's rubbish.* |

| **Quelle heure est-il?** | ***What's the time?*** |
|---|---|
| Il est (deux) heures. | *It's (two) o'clock.* |
| Il est (sept) heures dix. | *It's ten past (seven).* |
| Il est (dix) heures et quart. | *It's quarter past (ten).* |
| Il est (neuf) heures et demie. | *It's half past (nine).* |
| Il est (cinq) heures moins vingt-cinq. | *It's twenty-five to (five).* |

**Mon emploi du temps** — ***My timetable***

Notice that in French the days of the week don't start with a capital letter.

| | |
|---|---|
| lundi | *Monday* |
| mardi | *Tuesday* |
| mercredi | *Wednesday* |
| jeudi | *Thursday* |
| vendredi | *Friday* |
| samedi | *Saturday* |
| dimanche | *Sunday* |
| Le samedi, à onze heures, j'ai français. | *On Saturdays at eleven o'clock, I have French.* |
| Le lundi, à neuf heures, on a EPS. | *On Mondays at nine o'clock, we have PE.* |

| **Bien équipé** | ***Well equipped*** |
|---|---|
| une école | *a school* |
| un collège | *a secondary school* |
| Tu as...? | *Have you got...?* |
| J'ai... | *I've got...* |
| Il/Elle/On a... | *He/She/We've got...* |
| On n'a pas de... | *We haven't got any...* |
| Nous avons.../Vous avez... | *We've got.../You've got...* |
| un bâton de colle | *a glue stick* |
| un cahier | *an exercise book* |
| une calculatrice | *a calculator* |
| un cartable | *a schoolbag* |
| un classeur | *a file* |
| une clé USB | *a USB stick* |
| un crayon | *a pencil* |
| une gomme | *a rubber* |
| un livre | *a book* |
| une règle | *a ruler* |
| un stylo bille | *a ballpoint pen* |
| une trousse | *a pencil case* |
| Qu'est-ce que vous avez dans dans les classes? | *What do you have in the classrooms ?* |
| Nous avons... | *We have...* |

| | |
|---|---|
| une table | *a table/a desk* |
| une chaise | *a chair* |
| un tableau noir | *a blackboard* |
| un tableau blanc interactif | *an interactive whiteboard* |
| un ordinateur | *a computer* |

| **Problèmes et excuses** | ***Problems and excuses*** |
|---|---|
| Je suis désolé(e). | *I'm sorry.* |
| Je n'ai pas terminé mes devoirs. | *I haven't finished my homework.* |
| J'ai cassé mon stylo. | *I've broken my pen.* |
| J'ai oublié mon cahier. | *I've forgotten my exercise book.* |
| J'ai laissé mon cartable dans le bus. | *I've left my schoolbag on the bus.* |
| On a volé ma trousse. | *Someone's stolen my pencil case.* |

## Toto's Top Tips

Get to grips with gender!

*You will use some verbs over and over again so it is worth learning the different forms by heart.*

**A** ***Avoir*** **= to have. This is perhaps the most useful verb of all. There are a number of different forms of *avoir* on pages 62–63. Find how to say:**

- **a** I have
- **b** you have
- **c** we have

**B** **List three more verbs from pages 62–63 that you think you'll be able to use again.**

## Une semaine au collège

Aujourd'hui, c'est lundi
Le lundi, on a géo
J'aime, j'aime, j'aime
J'aime bien la géo
La géo, c'est rigolo.

Aujourd'hui, c'est mardi
Le mardi, on a mathématiques
J'aime, j'aime, j'aime
J'aime bien les mathématiques
Les mathématiques, c'est très pratique.

Aujourd'hui, c'est mercredi
Le mercredi, on a dessin
J'aime, j'aime, j'aime
J'aime bien le dessin
Le dessin, c'est super bien.

Aujourd'hui, c'est jeudi
Le jeudi, on a musique
J'aime, j'aime, j'aime
J'aime bien la musique
La musique, c'est fantastique.

Aujourd'hui, c'est vendredi
Le vendredi, on a français
J'aime, j'aime, j'aime
J'aime bien le français
En français, je suis parfait!

**1 Écoute et lis. Continue la liste.**

Exemple *Monday = geography, Tuesday = ...*

READING **2 Trouve cinq opinions et donne l'équivalent en anglais.**

Exemple **1** *c'est rigolo – it's funny, ...*

**3 Chante avec le CD.**

WRITING **4 Invente d'autres couplets.**

Exemple *histoire/obligatoire, la physique/magique*

# Mon coin

1

2

3

4

# u monde 4

**Contexts: Homes and regions**

**Grammar focus: Adjectives**

**House (*une maison*) or flat (*un appartement*)?**
**In France: 56% of people live in a house.**
**In the UK: 83%.**

**Town (*la ville*) or country (*la campagne*)?**
**1940: 50% French people live in the country, 50% in towns.**
**2000: 25% live in the country, 75% in towns.**

**Many French people own a holiday home.**
**Where?**
**56% in the country (*à la campagne*),**
**32% at the seaside (*au bord de mer*),**
**16% in the mountains (*à la montagne*).**

SPEAKING **1** **Regarde les photos. C'est en France ou en Grande-Bretagne?**

SPEAKING **2** **Donne ton opinion (cherche des adjectifs dans le dictionnaire).**

Exemple *J'aime bien la maison numéro 1 parce que c'est moderne.*

# 4.1 Ma région

- Your area and the weather

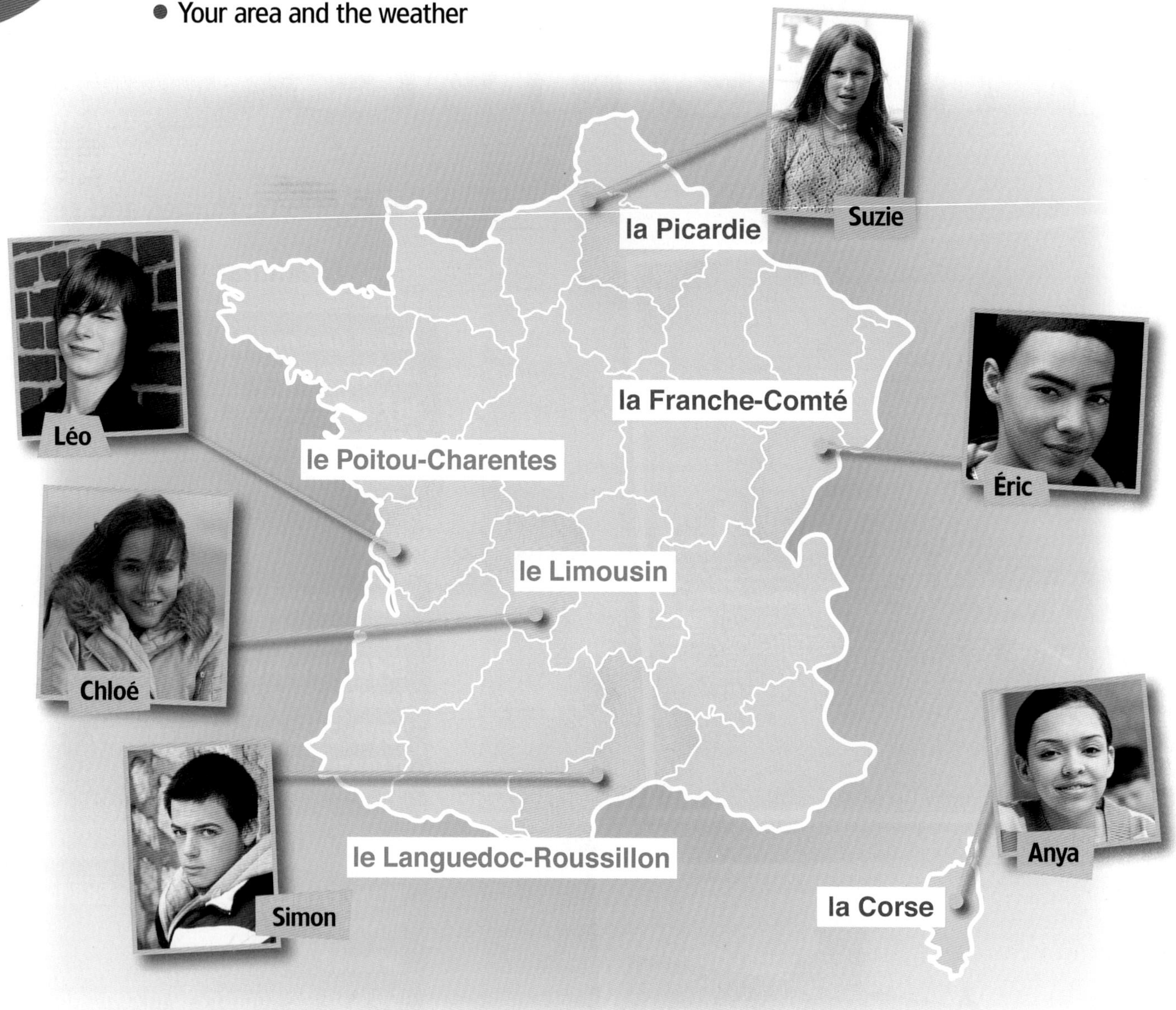

Suzie
la Picardie
Léo
le Poitou-Charentes
la Franche-Comté
Éric
Chloé
le Limousin
Simon
le Languedoc-Roussillon
Anya
la Corse

**1 Écoute. C'est quelle région?**

SPEAKING **2 À deux: jouez. (B → A)**

Exemple **A** *Sa région, c'est dans le nord de la France.*
**B** *C'est Suzie, en Picardie.*

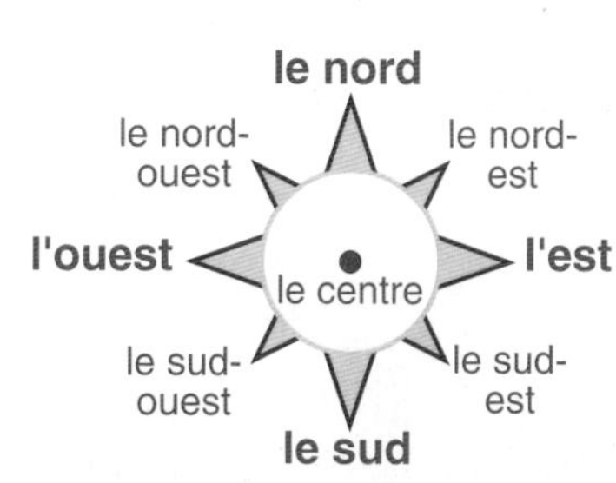

le nord
le nord-ouest
le nord-est
l'ouest
le centre
l'est
le sud-ouest
le sud-est
le sud

WRITING **3 Écris une bulle pour toi et plusieurs célébrités.**

*Ma région, c'est le Yorkshire.*
*C'est dans le nord-est de l'Angleterre.*

| | | | | | |
|---|---|---|---|---|---|
| C'est | dans | le / l' | nord<br>sud<br>centre<br>est<br>ouest | de l' | Angleterre / Écosse / Irlande (du Nord) |
| | | | | du | pays de Galles |



Visit Clic! OxBox

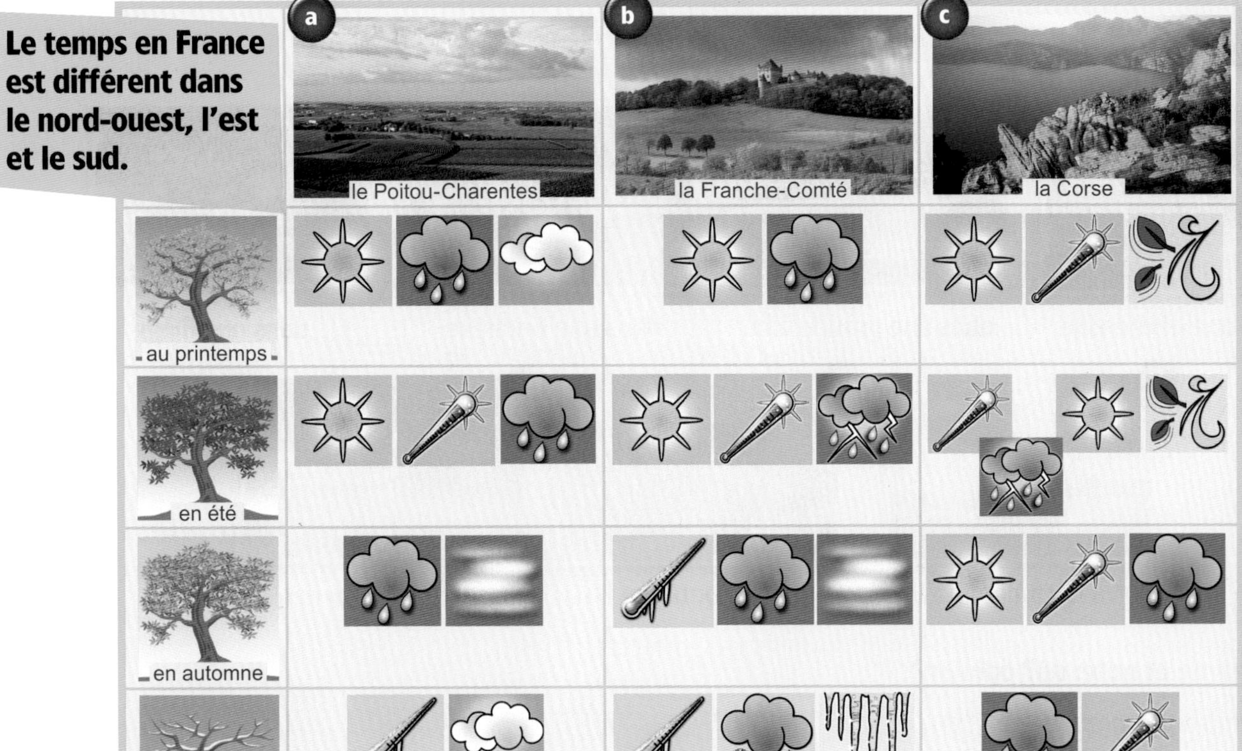

 **4 Écoute. Ce sont quelles régions?**

 **5 À deux: jouez. (B → A)**

Exemple **A** *Il fait chaud, il y a du soleil, il y a du vent et de l'orage.*
**B** *C'est la Corse, en été.*

 **6 Quel temps fait-il dans ta région?**

**Au printemps, ...**
**En été, ...**
**En automne, ...**
**En hiver, ...**

Exemple *Au printemps, dans ma région, il y a souvent du soleil mais il y a aussi du vent et, quelque fois, il pleut.*

| | |
|---|---|
| ***souvent*** | = often |
| ***mais*** | = but |
| ***aussi*** | = too |
| ***quelquefois*** | = sometimes |

**Quel temps fait-il?**

- a **Il fait beau.**
- b **Il ne fait pas beau.**
- c **Il fait chaud.**
- d **Il fait froid.**
- e **Il y a du vent.**
- f **Il y a du soleil.**
- g **Il y a du brouillard.**
- h **Il y a de l'orage.**
- i **Il y a des nuages.**
- j **Il pleut.**
- k **Il neige.**

# 4.2 Tu habites où?

- Where you live; adjectives

dans une petite ville

dans une grande ville

dans une banlieue

dans un village

à la campagne

à la montagne

au bord de la mer

**1 Regarde et note: où? opinion?**

Exemple *1 = grande ville* 

**2 Écris 1–7 dans l'ordre de tes préférences.**

**3 Écoute. Relie les personnes et les villes (a–c).**

a Piana

b Bellefontaine

c Sanary

**4 Réécoute, prends des notes et fais des phrases pour Anya et Éric.**

Exemple *Marco = Sanary, petite ville, bord de la mer, Provence, sud de la France,* ☺

Je m'appelle Marco. J'habite à Sanary. C'est une petite ville au bord de la mer, en Provence, dans le sud de la France. Moi, j'aime bien habiter là.

**Silent 'h'!**

J'[h]abite
Tu [h]abites
J'aime [h]abiter

**5 Tu habites où? Tu aimes habiter là? Donne six détails!**

Visit Clic! OxBox

**Adjectifs**

| | |
|---|---|
| **grand(e)** | **beau/belle** |
| **petit(e)** | **moderne** |
| **ancien(ne)** | **confortable** |

**6 Choisis des adjectifs pour chaque photo.**

Exemple *Numéro 1: c'est grand, moderne...*

**7 Écoute et lis. A ton avis, c'est quelle photo?**
Which photo do they describe in your opinion?

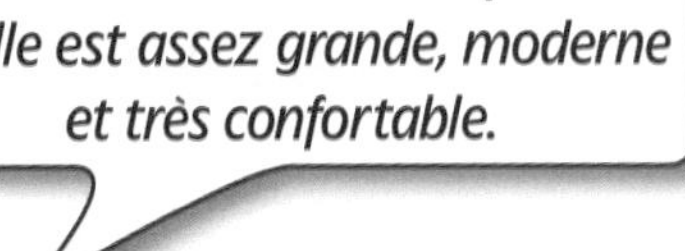

***Simon**: J'habite dans une maison. J'aime bien ma maison parce qu'elle est assez grande, moderne et très confortable.*

***Suzie**: J'habite dans un appartement. Je n'aime pas beaucoup mon appartement parce qu'il est petit, ancien et il n'est pas beau!*

***Marco**: J'habite dans un appartement. J'adore mon appartement parce qu'il est assez grand, moderne, confortable et très beau!*

***Alex**: J'habite dans une maison. Je déteste ma maison parce qu'elle est ancienne et trop petite. Elle est belle mais elle n'est pas confortable!*

**8 Invente une bulle pour les deux autres photos.**

**9 Grammaire: relis le texte. Complète le diagramme avec les adjectifs.**

***Adjectifs***

**masculin** **masculin/féminin** **féminin**

### *Défi!*

Give as many details as you can about where you live. Look back over pages 64–69.

# 4.3 C'est comment, chez toi?

- Flats and houses; adjectives

## Tu achètes une maison. Ton budget: 25 000 euros!

au grenier

au deuxième étage

au premier étage

au rez-de-chaussée

au sous-sol

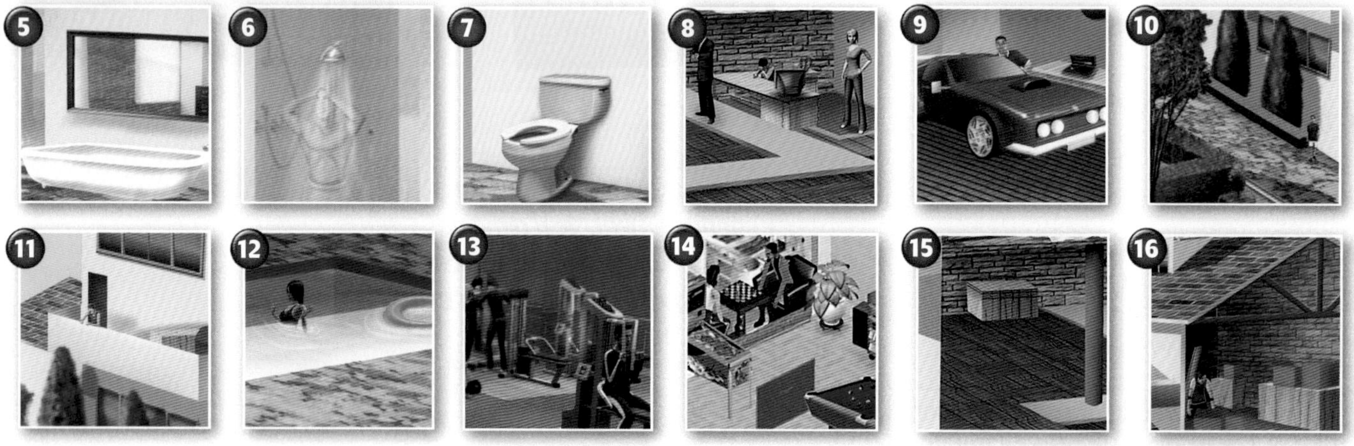

1 2 3 4 5 6 7 8 9 10 11 12 13 14 15 16

**1a Relie.**

*Exemple 1 a: une chambre*

**1b Écoute et note les prix.**

*Exemple 1 (une chambre) 2 000* **€**

*un mille* = 1,000
*deux mille* = 2,000

**2 Écoute Luc, Jean et Lola. Note les pièces. Qui n'a pas assez d'euros?**

*Exemple Luc: 10, 12, ... 3 000 + 4 000 +...*

**3 Décris la maison de tes rêves.**

| Au | rez-de-chaussée<br>grenier<br>premier étage<br>deuxième étage<br>sous-sol | il y a | une chambre, des toilettes etc. |
|---|---|---|---|

***Les pièces***

- **a** une chambre
- **b** une cuisine
- **c** une salle à manger
- **d** une salle de bains
- **e** une douche
- **f** une piscine
- **g** une salle de gym
- **h** une salle de jeux
- **i** une cave
- **j** un salon
- **k** un balcon
- **l** un garage
- **m** un bureau
- **n** un jardin
- **o** un grenier
- **p** des toilettes

**4 Lis les prépositions. À deux: A dit (1–5). B dessine (a–e). (B → A)**

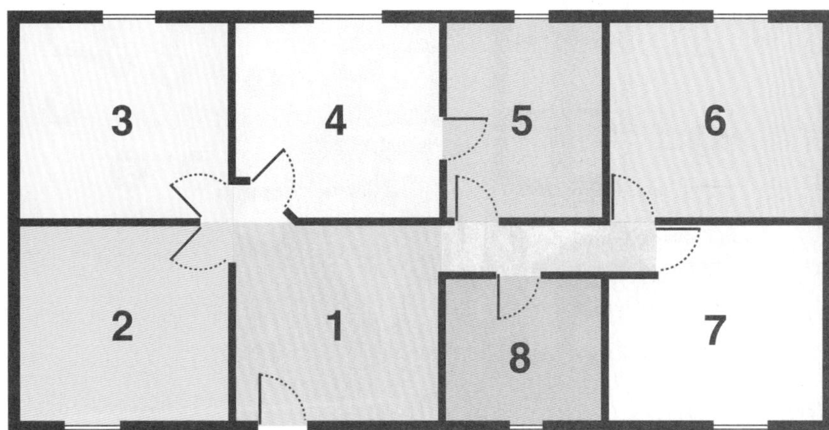


1 **à droite** (de la / du) (on the right) — a 

2 **à gauche** (de la / du) (on the left) — b 

3 **en face** (de la / du) (opposite) — c 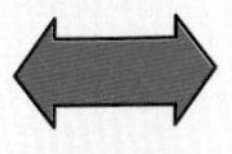

4 **à côté** (de la / du) (next to) — d 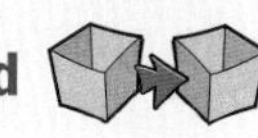

5 **entre** (between) — e 

**5 Écoute. Note les pièces de l'appartement.**

*Exemple 1 = l'entrée*

**6 À deux: A donne des indices et B devine les pièces. (B→A)**

*Exemple* **A** *C'est entre le bureau et la salle de bains.*
**B** *Euh... l'entrée!*

**7 À deux: A décrit et B dessine. Comparez! (B→A)**

*Exemple* **A** *Chez moi, il y a une entrée. À droite, ...*

**8 Lis et regarde le plan (exercice 4). Qui habite là, Lucie ou Marianne?**

**Lucie**

«J'habite dans un appartement en banlieue. Je n'aime pas beaucoup chez moi. Mon appartement est assez grand mais il n'est pas beau! Ma chambre est vieille. La cuisine est petite et elle n'est pas belle!!! Il n'y a pas de balcon! Je rêve d'habiter dans une grande maison avec un petit jardin et une piscine!»

**Marianne**

«J'habite en ville. Les appartements ne sont pas très vieux et ils sont beaux. Les trois chambres sont assez petites, mais elles sont belles. Elles ont des petits balcons. La salle de bains et la douche sont un peu vieilles mais ça va. J'aime bien mon appartement!»

**9 Grammaire: relis, trouve 12 adjectifs et fais des paires. Explique.**

*Exemple* *<u>petit/petite</u> – masculine singular/feminine singular*
*<u>petit/petits</u> – singular/plural*

## Adjectifs

**singular + s = plural**

| | | |
|---|---|---|
| *masculine* | petit | petit**s** |
| *feminine* | petite | petite**s** |

| | |
|---|---|
| beau | beaux |
| vieux | vieux |

# 4.4 Dans ma chambre

- Things in your bedroom; adjectives

***Dans ma chambre, il y a...***

a un lit
b un bureau
c un tableau
d un miroir
e un tapis
f le mur
g le plancher
h un portemanteau
i des rideaux
j une chaise
k une armoire
l une table
m une lampe
n une table de chevet
o une moquette
p la porte
q la fenêtre
r une étagère

Chambre de Van Gogh (1889)

**1a Qu'est-ce qu'il y a dans la chambre de Van Gogh?**

*Exemple 1 = un lit*

**1b Écoute et vérifie.**

**2 Complète. Réécoute et vérifie.**

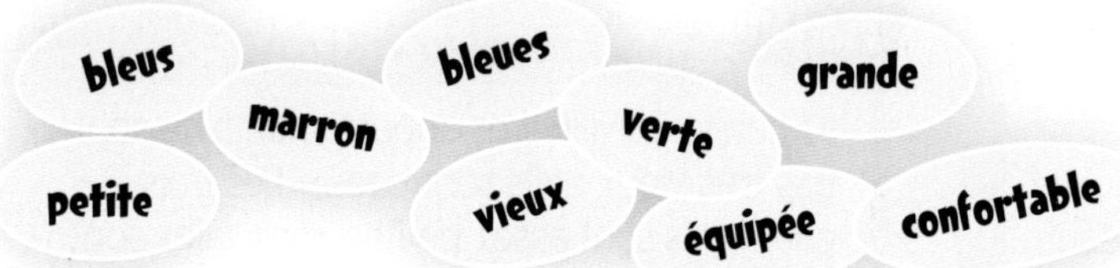


Dans ma chambre, il y a des murs ......1...... et deux portes......2...... . Il y a un ......3...... plancher ......4...... et une ......5...... fenêtre ......6...... . J'aime bien ma chambre. C'est une ......7...... chambre claire , ......9...... et bien ......10...... .

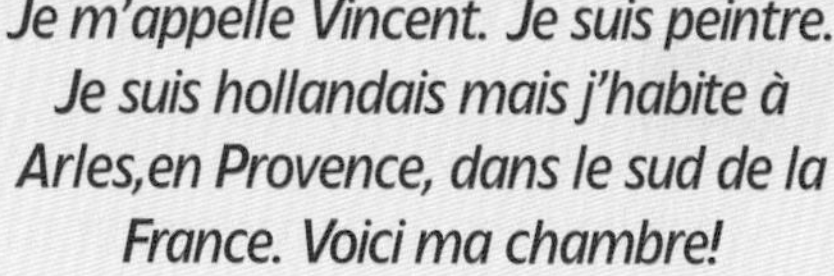

Je m'appelle Vincent. Je suis peintre. Je suis hollandais mais j'habite à Arles,en Provence, dans le sud de la France. Voici ma chambre!


**Grammaire**

The position of adjectives in French is different from English. Most come after the noun but a few come before it.

**3 Grammaire: écris!**

1 une + chambre + claire + petite = *une petite chambre claire*
2 un + miroir + grand + bleu = ?
3 une + armoire + jaune + vieille = ?
4 un + tableau + beau + moderne = ?

| | | | |
|---|---|---|---|
| un<br>une | petit(e)<br>grand(e)<br>vieux / vieille | chambre<br>lit<br>table<br>tapis<br>etc. | jaune<br>vert(e)<br>marron<br>noir(e)<br>confortable<br>etc. |

**4** **Écoute Lucas et Mehdi. Prends des notes. Qui décrit la chambre (moderne) de Van Gogh?**

WRITING **5** **Regarde la chambre et complète les phrases 1–5 avec les mots a–e.**

**1** Il y a un bureau ** le lit.
**2** Il y a un ordinateur ** le bureau.
**3** Il y a une table ** la fenêtre.
**4** Il y a une lampe ** la table.
**5** Il n'y a pas de console ** la chambre.

**a dans**
Exemple: dans la chambre

**b sous**
Exemple: sous la table

**c sur**
Exemple: sur la table

**d derrière**
Exemple: derrière la table

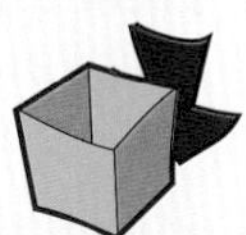

**e devant**
Exemple: devant la table

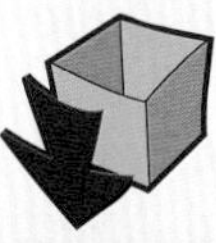

SPEAKING **6** **À deux. A décrit sa chambre (idéale). B dessine. Comparez! (B →A)**

WRITING **7** **Tu aimes la chambre de Van Gogh? Donne ton opinion, avec les adjectifs.**

**grand petit beau vieux**
**moderne confortable simple**
**bien équipé coloré**

:( Je déteste la chambre parce qu'elle est petite!
:)) J'aime beaucoup la chambre parce qu'elle est très belle.
:) J'aime bien la chambre parce qu'elle est confortable.

***Défi!***

**Decris ta chambre.**

| Dans ma chambre, il y a | | un lit, une chaise etc. | |
|---|---|---|---|
| Il y a | une lampe<br>un bureau<br>une console<br>etc. | dans<br>sous<br>sur<br>derrière<br>devant | le bureau<br>la chaise<br>la table<br>la fenêtre<br>etc. |

# 4 Labo-langue

## Bien comprendre! *Adjectives*

**Like a painter using colours, use adjectives to describe people, things or animals. You can use one or more adjectives to describe the same noun.**

### Position

English adjectives go before the noun they describe (*a black cat, a small cat*).
Only a few French adjectives go before the noun. Most go after the noun, e.g. une table marron.

**Remember: BAQS before the noun!**

| | |
|---|---|
| Beauty: **beau, joli** | *un beau salon* |
| Age: **vieux, jeune** | *un vieux chat* |
| Quality: **bon** | *un bon copain* |
| Size: **grand, petit, gros*** | *un grand chien* |

* large, fat

### Masculine, feminine, plural

English adjectives stay the same whatever you describe (*a tall boy, a tall girl, tall students*). French adjectives change to match the noun they describe. Regular adjectives normally add **-e** for a feminine noun and **-s** for a plural.

| | *singular* | *plural* |
|---|---|---|
| *masculine* | petit | petit**s** |
| | grand | grand**s** |
| | préféré | préféré**s** |
| *feminine* | petit**e** | petites |
| | grand**e** | grandes |
| | préféré**e** | préférées |

### There are exceptions to the general rule. These are worth learning by heart when you come across them.

- **a** Adjectives ending in **-e** are the same in M and F.
- **b** Adjectives ending in **-n** can double the **-n** in F before adding **-e**.
- **c** Some adjectives are quite different in M and F.
- **d** Adjectives that end in **-s** in the singular don't add **-s** in plural.
- **e** Some plurals are made by adding **-x**.
- **f** A few adjectives never change in F and plural.

- **a** **moderne/moderne**
- **b** **bon/bonne, ancien/ancienne**
- **c** **beau/belle, vieux/vieille, blanc/blanche**
- **d** **gros/gros**
- **e** **beau/beaux**
- **f** **cool, marron**

**Copy the sentences, with the correct form of the adjectives in the correct position.**

- **a** C'est une *** prof ***. (*blond, petit*)
- **b** Il y a des *** maisons ***. (*rose, beau*)
- **c** J'ai trois *** chiens ***. (*noir, gros*)
- **d** C'est une *** ville ***. (*calme, joli*)
- **e** Il habite dans une *** maison ***. (*moderne, grand*)

**Copy the sentences, and add an adjective to each in the right form and position.**

Example *Il y a trois chambres* → *Il y a trois grandes chambres confortables.*

- **a** Il y a une piscine.
- **b** J'ai deux lapins.
- **c** Il y a des rideaux.



Visit

## Bien apprendre! *How to listen well*

**1 Decide what you feel (grade 5–1) about what Toto says below and on the right.**

| I totally agree ⟷ I totally disagree | | | | |
|---|---|---|---|---|
| 5 | 4 | 3 | 2 | 1 |

- **a** Listening to French is easy.
- **b** I can always make out every word.
- **c** I can concentrate on what I hear.
- **d** Learning the pronunciation rules helps with listening.
- **e** Listening while reading a text is a good idea.
- **f** Listening to French TV, radio or films helps.

**2 Discuss with a partner. Then recap with the teacher in class. What can you do to improve your listening skills?**

| I always do ⟷ I never do | | | | |
|---|---|---|---|---|
| 5 | 4 | 3 | 2 | 1 |

0000
If you can't understand, play it louder!?!


- **a** I make sure I know the topic.
- **b** I use the pictures as clues.
- **c** I try and predict the words I'll hear.
- **d** I don't panic if I can't understand every word.
- **e** I listen to how people say things, to help me understand.
- **f** I concentrate on what I'm supposed to listen out for.

## Bien parler! *Adjective endings*

**The masculine and feminine forms of many adjectives sound different. Listen carefully, as they can give a clue to help you understand what you hear.**

**1 Listen. Who is Toto's penpal, A or B?**

**2 Listen (1–20). Is it masculine (M) or feminine (F) or you can't tell (?)?**

*Example 1 = M*

**3 Listen to these adjectives. What do you notice?**

**1** bleu – bleue – bleus – bleues
**2** clair – claire – clairs – claires
**3** équipé – équipée – équipés – équipées

### Stratégies

| M | F | |
|---|---|---|
| *rond* | "d" | *ronde* |
| *vert* | "t" | *verte* |
| *gris* | "z" | *grise* |
| *bon* | "n" | *bonne* |

Some adjectives sound the same, even after adding **-e**, **-s**, or **-es**

*noir / noire / noirs / noires*

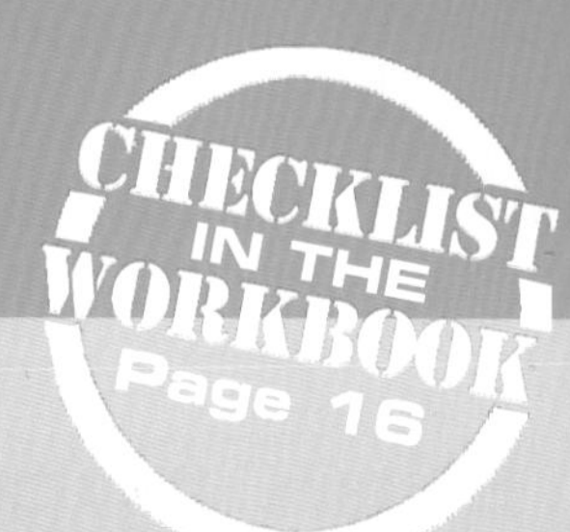


# Bienvenue sur le blog de Manon

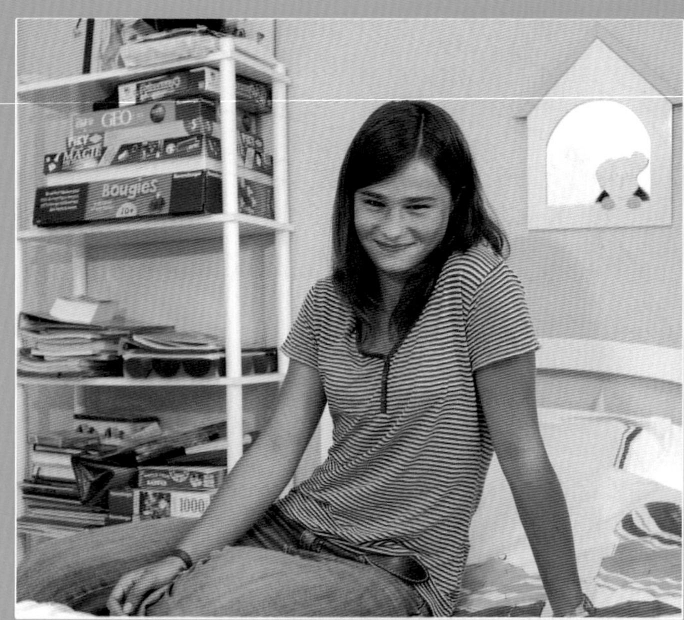

**Pseudo:** Lollipop
**Lieu:** Pornichet, France
**Nationalité:** Française
**Âge:** 12 ans
**Passion:** Les animaux
**Idole:** Dian Fossey

**Ma photo du jour:**

VIDEO **1 Regarde le vidéo-blog. Réponds pour Manon.**

**a Comment s'appelle ta région?**
Ma région s'appelle...

**b C'est où?**
C'est dans...

**c Quel temps fait-il?**
Il y a... / Il fait...

**d Tu habites en ville ou à la campagne?**
J'habite...

**e Tu aimes là où tu habites?**
J'aime habiter... / Je n'aime pas habiter...

**f C'est comment chez toi?**
Chez moi, il y a...

**g Comment est la maison de tes rêves?**
La maison de mes rêves est... / Dans la maison de mes rêves, il y a...

**h Décris ta chambre en détails.**
Ma chambre est...

**i Qu'est-ce qu'il y a dans ta chambre?**
Dans ma chambre, il y a...

SPEAKING **2 À toi de répondre!**

WRITING **3 Décris là où tu habites sur ton blog (max. 100 mots).**

**Écoute!**
Listen to Nolwenn. Complete the sentences.

Exemple *1 le nord-ouest*

1 Elle habite dans *** de la France, en Bretagne, à Carnac.
2 Carnac, c'est une *** ville au *** .
3 Sa maison est *** mais *** .
4 Au rez-de-chaussée, il y a *** et ***.
5 Au premier étage, il y a *** et ***.
6 Elle adore son *** et la ***.

**Lis!**
Read Nolwenn's description of her room and look at the picture. Spot six differences.

Exemple *1 the carpet isn't blue, it's brown*

J'aime beaucoup ma chambre! Elle n'est pas très grande mais elle est jolie. Les murs sont bleus et la moquette aussi. Mes rideaux aussi sont bleus. Sous la fenêtre, il y a mon lit. À gauche de mon lit, il y a une petite table de chevet. À droite de mon lit, il y a mon bureau. Devant le bureau, j'ai une chaise. J'ai aussi une grande lampe à droite du bureau. Il y a une petite armoire ancienne avec un miroir sur la porte.

**Écris!**
Write the weather report.

Exemple *Aujourd'hui, il ne fait pas beau.*
*Dans le nord, il fait froid et il gèle...*

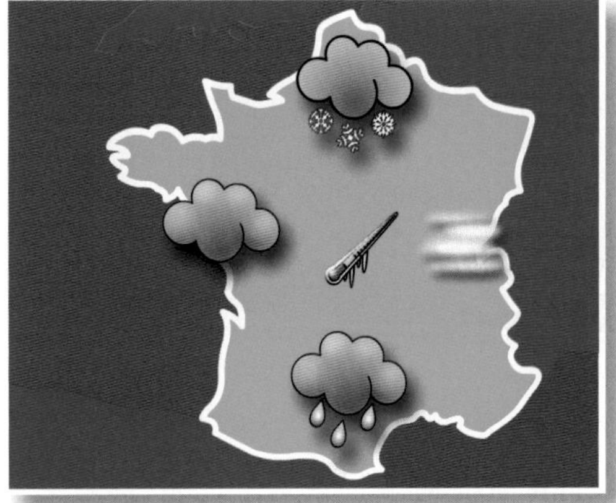

**Parle!**
Give five details about where you live.

Which area?
Weather?
Which town?
House/flat?
Your bedroom?

*Exemple J'habite dans l'est de l'Écosse...*

# Les prévisions météo

Ce matin, le temps est nuageux sur tout le pays avec des passages ensoleillés sur les parties sud et est en fin d'après-midi. Dans le nord, le temps restera brumeux toute la journée avec des températures hivernales pour la saison.

Journée très pluvieuse sur l'ouest, surtout en Bretagne et en Normandie. Dans le sud-ouest, le temps est orageux, avec des températures élevées en début d'après-midi. N'oubliez pas votre parapluie!

## Stratégies

### Making sense of difficult texts

At first sight, this weather report has lots of new words you may not know.

- What can you do to understand the gist of it?
- What words do you need to focus on?
- What do you notice about the new words?

*températures hivernales*:
*températures* is like the English 'temperature'
*hivernales* has the word *hiver* in it
*hiver* means winter, so the temperatures must be cold

**1 Lis la météo. Quelle est la bonne carte?**

A

B

**2 Relie.**

**1** Il y a des nuages
**2** Il y a du soleil
**3** Il y a du brouillard
**4** Il y a de la pluie
**5** Il fait froid
**6** Il y a de l'orage
**7** Il fait chaud

**a** à l'ouest.
**b** à l'est.
**c** dans le nord.
**d** dans le sud-ouest.
**e** dans le sud.
**f** sur toute la France.

**3 Écris la météo pour l'autre carte.**

*Exemple Aujourd'hui, en France, le temps est nuageux / il y a des nuages...*

*le plus / la plus* = the most

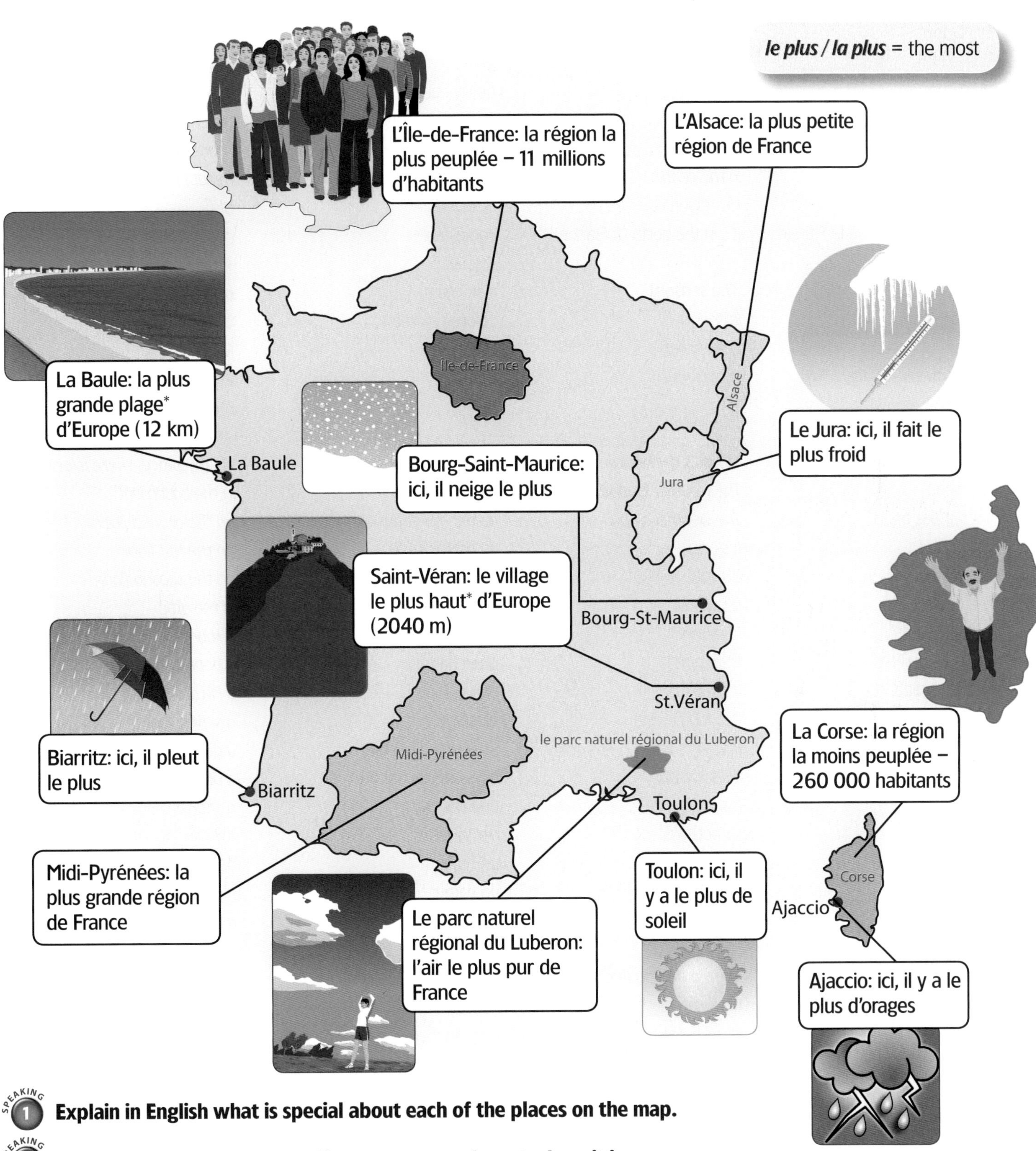
L'Île-de-France: la région la plus peuplée – 11 millions d'habitants
L'Alsace: la plus petite région de France
La Baule: la plus grande plage* d'Europe (12 km)
La Baule
Île-de-France
Alsace
Bourg-Saint-Maurice: ici, il neige le plus
Le Jura: ici, il fait le plus froid
Jura
Saint-Véran: le village le plus haut* d'Europe (2040 m)
Bourg-St-Maurice
St.Véran
Biarritz: ici, il pleut le plus
Biarritz
Midi-Pyrénées
le parc naturel régional du Luberon
La Corse: la région la moins peuplée – 260 000 habitants
Toulon
Midi-Pyrénées: la plus grande région de France
Toulon: ici, il y a le plus de soleil
Corse
Ajaccio
Le parc naturel régional du Luberon: l'air le plus pur de France
Ajaccio: ici, il y a le plus d'orages

**1 Explain in English what is special about each of the places on the map.**

**2 Describe a place on the map. Your partner works out where it is.**

Example **A** Ici, il pleut beaucoup.
**B** C'est Biarritz, dans le sud-ouest de la France.

# 4 Vocabulaire

| **Ma région** | ***My region*** |
|---|---|
| dans le nord | *in the north* |
| dans l'ouest | *in the west* |
| dans le sud | *in the south* |
| dans l'est | *in the east* |
| dans le centre | *in the centre* |
| Ma région, c'est... | My region is... |
| C'est dans le nord de la France. | It's in the north of France. |

| **Les saisons** | ***The seasons*** |
|---|---|
| au printemps | *in spring* |
| en été | *in summer* |
| en automne | *in autumn* |
| en hiver | *in winter* |

| **Quel temps fait-il?** | ***What's the weather like?*** |
|---|---|
| Il fait beau. | *The weather's good.* |
| Il ne fait pas beau. | *The weather's bad.* |
| Il fait chaud. | *It's hot.* |
| Il fait froid. | *It's cold.* |
| Il y a du vent. | *It's windy.* |
| Il y a du soleil. | *It's sunny.* |
| Il y a du brouillard. | *It's foggy.* |
| Il y a de l'orage. | *It's stormy.* |
| Il y a des nuages. | *It's cloudy.* |
| Il pleut. | *It's raining.* |
| Il neige. | *It's snowing.* |
| Il gèle. | *It's frosty.* |
| des fois | *sometimes* |
| souvent | *often* |
| mais | *but* |
| aussi | *too* |

| **Tu habites où?** | ***Where do you live?*** |
|---|---|
| J'habite... | *I live...* |
| dans une grande ville | *in a big city* |
| dans une petite ville | *in a small town* |
| dans un village | *in a village* |
| à la campagne | *in the countryside* |
| à la montagne | *in the mountains* |
| au bord de la mer | *by the sea* |
| dans une maison | *in a house* |
| dans un appartement | *in a flat* |

| **C'est comment?** | ***What's it like?*** |
|---|---|
| grand/grande | *big* |
| petit/petite | *small* |
| ancien/ancienne | *dated* |
| moderne | *modern* |
| beau/belle | *beautiful* |
| vieux/vieille | *old* |
| confortable | *comfortable* |
| simple | *simple* |
| clair/claire | *bright* |
| coloré/colorée | *colourful* |
| assez | *fairly* |
| très | *very* |
| trop | *too* |

| **Chez moi, il y a...** | ***At my place, there is/are...*** |
|---|---|
| au sous-sol | *in the basement* |
| au rez-de-chaussée | *on the ground floor* |
| au premier étage | *on the first floor* |
| au deuxième étage | *on the second floor* |
| au grenier | *in the attic* |
| une pièce | *a room* |
| une chambre | *a bedroom* |
| une cuisine | *a kitchen* |
| un salon | *a sitting room* |
| une salle à manger | *a dining room* |
| une salle de bains | *a bathroom* |
| une douche | *a shower* |
| des toilettes | *toilets* |
| un bureau | *a study* |
| un garage | *a garage* |
| un jardin | *a garden* |
| un balcon | *a balcony* |
| une piscine | *a swimming pool* |
| un mur | *a wall* |
| un plancher | *a floor* |
| une porte | *a door* |
| une fenêtre | *a window* |
| une salle de gym | *a gym* |
| une salle de jeux | *a playroom* |
| une cave | *a cellar* |
| la maison de mes rêves | *my dream house* |

| Dans ma chambre, il y a... | *In my bedroom, there is / are...* |
|---|---|
| un lit | *a bed* |
| une chaise | *a chair* |
| une armoire | *a wardrobe* |
| une table | *a table* |
| une table de chevet | *a bedside table* |
| une lampe | *a lamp* |
| un bureau | *a desk* |
| un tableau | *a painting* |
| un miroir | *a mirror* |
| des rideaux | *curtains* |
| une moquette | *a carpet* |
| un tapis | *a rug* |
| un porte-manteau | *clothes pegs/hooks* |
| une étagère | *a shelf* |

| C'est où? | *Where is it?* |
|---|---|
| à droite | *on the right* |
| à gauche | *on the left* |
| en face de | *opposite* |
| à côté de | *next to* |
| entre | *between* |
| dans | *in* |
| sous | *under* |
| sur | *on* |
| derrière | *behind* |
| devant | *in front* |

## Toto's Top Tips

A few words can go a long way!

*There are some words you can use only in a specific context. There are others you can use again and again, whatever the topic.*

**A Look at pages 80–81 and list six words/phrases you can use only to speak about the weather.**

**B Find seven words you can use in absolutely any context.**

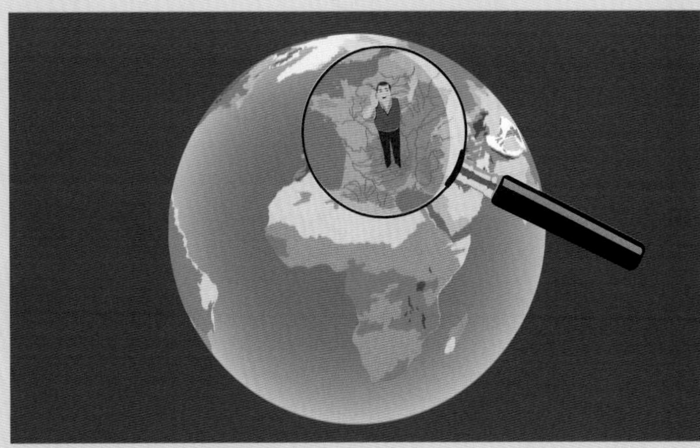

# Viens chez moi!

Sur la Terre*, il y a un pays
C'est la France, où* j'habite (x 2)
Viens* chez moi, je t'invite!

Dans mon pays, il y a une ville
C'est Paris, où j'habite! (x 2)
Viens chez moi, je t'invite!

Dans ma ville, il y a une rue*
C'est Belleville, où j'habite! (x 2)
Viens chez moi, je t'invite!

Dans ma rue, il y a une maison
C'est la maison, où j'habite (x 2)
Viens chez moi, je t'invite!

Dans ma maison, il y a une chambre
C'est la chambre, où je suis (x 2)
Viens chez moi, je t'attends*!

* Earth
* Come!
* street
* I'm waiting for you

SPEAKING **1 Chante avec le CD.**

WRITING **2 Adapte pour toi.**

Exemple *Sur la Terre, il y a un pays,*
*C'est l'Écosse, où j'habite...*

WRITING **3 Remplace le deuxième *C'est... , où j'habite* par une opinion.**

Exemple *Dans mon pays, il y a une ville,*
*C'est Paris, où j'habite!*
***J'aime Paris, c'est joli!***
*Viens chez moi, je t'invite!*

# M

## CANAL+

**9.40** HITCH, EXPERT EN SÉDUCTION **11.40** «CHILDREN OF MEN», LE MAKING OF (C) **12.05** L'EFFET PAPILLON (C) **12.40** DIMANCHE + (C) **13.35** BROTHER & BROTHER (C) **13.45** LA SEMAINE DES GUIGNOLS (C) **14.15** ZAPPING (C) **14.35** LA GRANDE COURSE (C) Tiercé. **15.00** DESPERATE HOUSEWIVES **15.45** DESPERATE HOUSEWIVES **16.25** [MI-5] **17.20** LES SIMPSON **17.45** DU RIFIFI CHEZ LES CHIMPANZÉS **18.35** TEX AVERY **18.45** SURFACE

## france 3

**12.25** 12/13: JOURNAL NATIONAL **13.00** ANIMAUX SECRETS **13.50** INSPECTEUR DERRICK **14.50** LE MAGAZINE DU SÉNAT **15.00** QUESTIONS AU GOUVERNEMENT **16.05** OUTREMERS **16.30** COSBY SHOW **17.00** C'EST PAS SORCIER **17.35** DES CHIFFRES ET DES LETTRES

**18.05** QUESTIONS POUR UN CHAMPION

**18.35** 19/20

**20.10** TOUT LE SPORT

**20.20** PLUS BELLE LA VIE

# a famille 5

![M6 logo]

7.35 MORNING CAFÉ **9.00** FLASH INFO / MÉTÉO **9.10** M6 BOUTIQUE **10.05** STARSIX MUSIC **11.20** RUBÍ **11.50** UNE NOUNOU D'ENFER **12.20** MALCOLM **12.50** LE 12.50 **13.10** UNE FAMILLE PRESQUE PARFAITE **13.35** LA VIE, MALGRÉ TOUT **15.25** UNE FILLE À CROQUER **17.10** JOUR J **17.55** CHARMED

**18.55** MISSING: DISPARUS SANS LAISSER DE TRACE

**19.50** SIX' / MÉTÉO

**20.10** LA STAR DE LA FAMILLE Série. «Audition sauvage».

**20.40** SIX'INFOS LOCALES / KAAMELOTT

Contexts: **Family and other people**

Grammar focus: **Verbs (3)**

**Most common French family name (surname): Martin.**

**All French families have *un livret de famille,* an official booklet with the names, date and place of birth of all family members.**

**Most French families have two children. Larger families get a medal (*la médaille de la famille*) on Mother's Day!**

**4/5 children → bronze medal**

**6/7 children → silver medal**

**8+ children → gold medal**

SPEAKING **1** **Regarde les photos.**
Do you recognise any of these programmes shown on French TV? What do they have in common?

SPEAKING **2** **C'est qui sur les photos? Explique.**

*Exemple Elle s'appelle Marge Simpson. C'est la mère de Bart.*

# 5.1 Voici ma famille

- Family; reflexive verbs

## Ma famille

VIDEO **1 Regarde la vidéo. Prends des notes. Qui a la famille la plus grande?**

*Yasmina: mère, père, 1 frère, ...*

VIDEO **2 Regarde encore une fois. Note d'autres détails. Un détail = un point. Qui a le plus de points?**

*Manon – parents divorcés*

SPEAKING **3 À deux: jouez. (B →A)**

**A** (*consulte ses notes*): J'ai deux frères et une sœur.
**B** (*répond de mémoire*): Tu es Thomas.

WRITING **4 Écris une bulle pour Manon ou Thomas.**

*Je m'appelle... J'ai un / une...*
*J'habite avec mon / ma / mes... Je n'ai pas de...*

WRITING **5 Écris une bulle pour toi.**

SPEAKING **6 Par groupes de quatre, comparez vos familles.**

*Exemple Tu as combien de cousins? Quel âge a ton frère?*

**a** Qui a le plus de cousins?
**b** Qui a le plus d'oncles?
**c** Qui a le frère le plus jeune?
**d** Qui a la cousine la plus âgée?

| masculine | feminine | plural |
|---|---|---|
| J'ai... un<br>J'habite avec... mon | une<br>ma | des<br>mes |
| grand-père | grand-mère | grand-parents |
| père | mère | parents |
| beau-père | belle-mère | beaux-parents |
| oncle | tante | oncles / tantes |
| fils | fille | enfants |
| frère | soeur | frères et sœurs |
| cousin | cousine | cousins |

**Grammaire**

J'ai **un frère**. **Il a** treize ans.
J'ai **une cousine**. **Elle a** seize ans.

## La famille de Théo

**7 Oui ou non?**

a Théo a un frère.
b L' oncle de Théo s'appelle Arnaud.
c Lucien est le père de Kévin.
d Elsa est la fille de Magali.

**8 Jouez à *Ni oui, ni non*. A parle de la famille de Théo. B répond sans dire ni oui ni non. (B →A)**

**A** Jojo est le cousin de Théo. **B** Il n'est pas le cousin de Théo.
**A** La mère de Théo s'appelle Magali. **B** C'est vrai.

**9 La famille de Manon: lis le message. Réponds en anglais.**

a Why does Manon get on with her grandmother?
b Does she get on with her parents?
c Does she get on with her cousins Max and Annabelle?

Manon: J'habite avec ma mère et ma grand-mère. Je m'entends très bien avec ma grand-mère. Elle est très patiente. Mes parents sont divorcés et je vois mon père le week-end. Je ne m'entends pas bien avec mon père. J'ai un cousin Max et on s'entend bien. Et j'ai une petite cousine Annabelle. Elle a trois ans. Je ne m'entends pas bien avec elle – elle est trop petite.
Et toi, tu t'entends bien avec ta famille?

### Grammaire

In French, you don't use **'s** to show who something belongs to.

Use **de** (or **d'**):
Toto**'s** brother → le frère **de** Toto
Elsa**'s** bike → le vélo **d'**Elsa

### Grammaire

**Reflexive verbs** have a little pronoun in front of them which changes depending on the person doing the verb:

**je m'appelle** **tu t'appelles**
**elle/il s'appelle**

**je m'entends** **tu t'entends**
**on s'entend**

Example: Je m'entends bien avec ma mère.
*I get on well with my mother.*

# 5.2 Le matin, chez moi

- Morning routines; reflexive verbs

J'arrive au collège. Je me lève. Je me réveille. Je prends mon petit déjeuner.
Je quitte la maison. Je me douche. Je me brosse les dents. Je m'habille.

**1 Regarde l'heure. Mets les actions de Théo dans le bon ordre. Écoute et vérifie.**

*Exemple c – je me réveille*

**2 Grammaire: write down the (*reflexive verbs*) in the sentences from activity 1.**

*Exemple je me réveille, ...*

**3 À deux: comparez vos horaires. A interviewe B. (B → A)**

*Exemple Tu prends ton petit déjeuner à quelle heure?*

**4 Écris six questions sur la routine de Théo. Échange avec un(e) partenaire.**

*Exemple Il se douche à quelle heure?*

| | | | |
|---|---|---|---|
| Tu | arrives au collège<br>quittes la maison etc | | à quelle heure? |
| | te / t' | douches<br>lèves etc | |
| Je / J' | arrive au collège<br>quitte la maison etc | | |
| | me / m' | douche<br>lève etc | |

⚠ In reflexive verbs, remember to change the extra pronoun.

**je me lève à 7 h**

**tu te lèves à 7 h**

**il se lève à 7 h**

**elle se lève à 7 h**

**Écoute Amina et complète.**

- **a** Le père d'Amina se lève à...
- **b** La sœur d'Amina se réveille à...
- **c** À huit heures, son cousin...
- **d** À huit heures moins le quart, sa mère...
- **e** À huit heures cinq, elle...

| Il / Elle | se | lève<br>douche etc |
|---|---|---|

**Lis les lettres. C'est qui?**

- **a** the person who goes back to sleep after waking up early
- **b** the person who never wakes up when the alarm clock rings
- **c** the person whose family member doesn't shower often enough
- **d** the person whose family member makes a noise in the morning

Je me réveille toujours à six heures quinze, mais je ne me lève pas... je me rendors. Que faire?

Adrien

J'ai un problème. Je ne m'entends pas bien avec mon grand frère. Il ne se douche pas. Ce n'est pas hygiénique.

Stéphanie

Ma sœur se lève à six heures et moi, je me lève à sept heures. Mais je me réveille à six heures parce qu'elle met de la musique. Ce n'est pas juste.

Sophie

Le matin, je ne me réveille jamais quand le réveil sonne.

Djamil

**Grammaire: write a list of the verbs in the negative form.**

*Exemple* *je* ***ne*** *me lève* ***pas***

## Grammaire

***Always? Never?***

Je me douche **toujours** le matin. (=always)
Je **ne** me douche **jamais** le matin. (=never)

***Ne ... jamais*** works like ***ne ... pas***, going round a verb to make it negative.

See page 140.

## *Défi!*

Imagine the Fainéant family routine. Write about it using *toujours* and *ne ... jamais* at least three times each.

# 5.3 Il est comment?

- Describing someone's appearance

Harry Potter

Ron Weasley

**En France, on adore les livres et les films d'Harry Potter!**

| *Il est...* | *Elle est...* | |
|---|---|---|
| grand | grande | |
| petit | petite | |
| gros | grosse | |
| mince | | |
| de taille moyenne | | |
| brun | brune |  |
| blond | blonde | 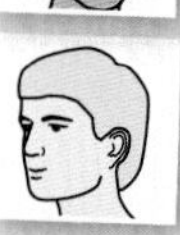 |
| roux | rousse. |  |

***Il a...*** ***Elle a...***

| | |
|---|---|
| les cheveux longs |  |
| les cheveux courts |  |
| les cheveux frisés |  |
| les cheveux raides |  |
| les yeux marron* |  |
| un long nez |  |
| un petit nez |  |
| Il/Elle porte des lunettes. |  |

* *marron stays the same for masculine, feminine, singular, plural.*

 **Écoute (1–5). C'est Harry ou Ron?**

 **Réécoute et note d'autres détails sur les deux garçons.**

*Exemple Il est grand/petit. Il habite avec...*

 **À deux. Jeu de description.**

With a partner, choose Harry or Ron. Take turns to make a statement describing him. The one who can't think of a statement to add loses. Make notes in English first to help you, e.g. short ...

*Exemple* **A** *Il est assez petit.*
**B** *Il a les yeux verts.*
**A** *Il habite avec son oncle et sa tante. etc.*

*Je suis assez grand – je mesure 1 m 70 – alors que dans le reste de ma famille, on est petit. Je suis très mince. Je suis brun et j'ai les cheveux longs et raides. J'ai les yeux marron. Je ne porte pas de lunettes. J'ai des lentilles de contact.*

*Je chante avec mes deux copines. Moi, je suis assez petite. Je suis rousse et j'ai les cheveux courts et frisés. Je porte des lunettes.*

Julie

Anne

Farah

**4 Lis les bulles. Qui parle?**

**5 Relis. Comment dit-on en français...?**

**a** I'm X metres tall.
**b** The rest of my family are short.
**c** I've got contact lenses.
**d** I sing.
**e** I'm quite short.

**alors que** = whereas
**assez** = quite, fairly
**très** = very

**6 Écoute. Prends des notes. Qui parle?**

*Exemple* **1** brown eyes, short hair...

WRITING
**7 Choisis une personne: David, Luc, Sophie ou Mélanie. Réponds au questionnaire pour cette personne.**

**8 À toi de répondre au questionnaire.**

## Questionnaire

1. *Tu t'appelles comment?*
2. *De quelle couleur sont tes yeux?*
3. *De quelle couleur sont tes cheveux?*
4. *Tes cheveux sont comment?*
5. *Tu portes des lunettes?*

Visit Clic! OxBox

# 5.4 Qui es-tu?

- Describing personality

**1a Mets les adjectifs en deux groupes:**
**1 = les qualités 2 = les défauts.**

**1b Compare avec un(e) partenaire.**

**2 Écoute et note trois adjectifs pour Alex, et trois pour Manon.**

**bavarde?**
**paresseuse?**
**jalouse?**
**sportive?**
**artiste?**

**curieux?**
**gentil?**
**généreux?**
**têtu?**
**travailleur?**

### *Personality adjectives*

**artiste**
bavard / bavarde
curieux / curieuse
**drôle**
**égoïste**
gentil / gentille
généreux / généreuse
intelligent / intelligente
jaloux / jalouse
**optimiste**
paresseux / paresseuse
**romantique**
sportif / sportive
**sympa**
têtu / têtue
**timide**
travailleur / travailleuse

*Some adjectives have different forms for masculine and feminine* (jaloux / jalouse), *others have the same form for both* (timide).

**3 Écoute les profs. Ils parlent des élèves: Lola, David, Nathalie, Sébastien. Note deux adjectifs pour chacun.**

**4 Grammaire: écris la forme féminine.**

| | | | |
|---|---|---|---|
| **a** | impatient | **d** | actif |
| **b** | gourmand | **e** | indépendant |
| **c** | courageux | **f** | calme |

**5 À deux. (B →A)**
**A: écris trois adjectifs de la liste.**
**B: devine.**

Exemple **B** *Tu es artiste.* **A** *Non, je ne suis pas artiste.*

### *Be more precise!*

| | | |
|---|---|---|
| Je suis | **un peu** | têtu(e). |
| Tu es | **assez** | égoïste. |
| Il/Elle est | **très** | jaloux/jalouse. |
| Ils/Elles sont | **vraiment** | sportifs/sportives. |

## Plus belle la vie

En France, à la télé, tous les jours à 20 h 20, il y a une série très populaire: **Plus belle la vie.** C'est l'histoire d'une famille, les Marci.

Le grand-père s'appelle Roland. Il a 63 ans. Il a un bar, Le Mistral. Il a les cheveux gris et les yeux marron. Il est passionné et très têtu, mais il est curieux et généreux.

La mère s'appelle Blanche. Elle a 39 ans. Elle est brune et elle a les cheveux longs et frisés. Elle est sportive, intelligente et généreuse. Sa passion, c'est la politique. Elle est séparée de son mari, François. Il habite aux États-Unis.

Le fils, Lucas est artiste et un peu timide – il rougit facilement – mais il est vraiment intelligent. Il habite avec son père à la Nouvelle-Orléans.

La fille, Johanna, a quinze ans. Elle est brune et elle a les cheveux longs et raides. Elle grandit sans son père et son grand frère. Elle est romantique et idéaliste. Elle est très déterminée et assez bavarde.

On attend le prochain épisode de **Plus belle la vie!**

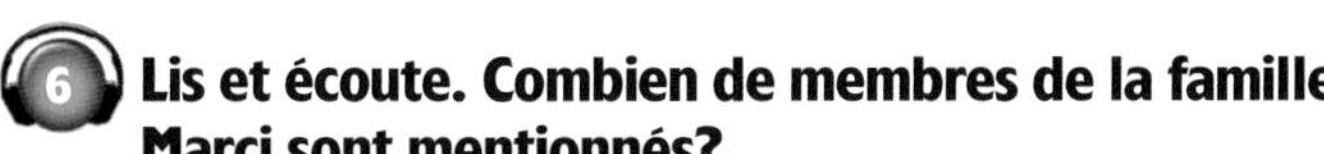

**6 Lis et écoute. Combien de membres de la famille Marci sont mentionnés?**

WRITING

**7 Note tous les adjectifs pour décrire la personnalité de chaque personnage.**

Exemple *Le grand-père: passionné...*

READING

**8 Who...?**

- **a** goes red easily
- **b** is growing up without a father
- **c** lives in America (2)
- **d** likes politics

### Défi!

Choisis une autre série, un film ou un livre. Décris les personnages.

*Exemple name, age, position in family, appearance, personality...*

# 5 Labo-langue

## Bien comprendre! *French verbs (3)*

### A Verbs – present tense

| The | *finir* |
|---|---|
| je fin**is** | nous fin**issons** |
| tu fin**is** | vous fin**issez** |
| il/elle/on fin**it** | ils/elles fin**issent** |

Other verbs like this: *choisir, grandir, rougir*

| The *-re* verb pattern | *répondre* |
|---|---|
| je répond**s** | nous répond**ons** |
| tu répond**s** | vous répond**ez** |
| il/elle/on répond | ils/elles répond**ent** |

Other verbs like this: *attendre, entendre*

Common verbs that look as if they should follow the **-ir** pattern, but don't:

**venir** **voir** **partir** **sortir**

Common verbs that look as if they should follow the **-re** pattern but don't:

**boire** **prendre** **faire**

See page 137 to check how they work.

**1 Give the French:**

- **a** I'm finishing the activity. (*finir*)
- **b** We are choosing a CD. (*choisir*)
- **c** Are you waiting for the bus? (*attendre*)
- **d** They hear the music. (*entendre*)
- **e** The children are growing up. (*grandir*)

### B Irregular verbs to learn by heart

**Like people, some very useful verbs don't fit in a regular group.**

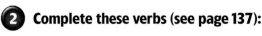

**2 Complete these verbs (see page 137):**

***aller*** (to go) – *je vais, tu vas, il/elle va, nous...*
***faire*** (to make, to do) – *je fais, tu fais, ...*
***prendre*** (to take) – *je prends, tu prends, ...*
***venir*** (to come) – *je viens, tu viens, ...*
***voir*** (to see) – *je vois, tu vois, ...*
***vouloir*** (to want) – *je veux, tu veux, ...*

**3 Copy the sentences, using the right form of the verbs.**

- **a** Elle [*finir*] l'exercice et elle [*attendre*] les réponses.
- **b** Le prof [*venir*] dans la salle et je [*voir*] son expression.
- **c** Mes parents [*aller*] en France: ils [*vouloir*] parler français.
- **d** Je [*aller*] au cinéma, si tu [*venir*] avec moi.
- **e** On [*prendre*] le bus ou on y [*aller*] en train?

## C Reflexive verbs

These need a pronoun between the subject and the verb.

**subject + pronoun + verb**
je me réveille = *I wake up*
*literally: I wake myself up*

| The pronoun changes to match the subject it goes with. | |
|---|---|
| je + **me** lève | nous + **nous** levons |
| tu + **te** lèves | vous + **vous** levez |
| il / elle / on + **se** lève | ils / elles + **se** lèvent |

*Exemples*: tu te lèves, il s'habille, vous vous amusez

**4 How would you say these in French, using reflexive verbs?**

- **a** He has a shower.
- **b** My parents get up at eight o'clock.
- **c** I don't brush my teeth.
- **d** We don't wake up at six o'clock.
- **e** Do you get dressed in the bathroom?

| Reflexive verbs + negative | | | | |
|---|---|---|---|---|
| je | ne | **me** | lève | **pas** |
| on | ne | **s'** | habille | **pas** |
| tu | ne | **te** | douches | **pas** |

## Bien apprendre! *Using connectives*

**Match these words with the French connectives in the cartoon.**

or so but and

**2 Can you think of reasons why it is useful to use connectives when you speak or write? Discuss with a partner.**

**3 Link each pair of sentences with a different connective.**

- **a** Je suis sportif. Je n'aime pas le tennis.
- **b** Laura quitte la maison. Elle va au collège.
- **c** On va au cinéma? On fait du shopping?
- **d** Je suis travailleuse. Je fais toujours mes devoirs.

### Défi!

Imagine and write a paragraph describing what Toto does on a Saturday morning. Use all four connectives.

## Bien parler! *the è/ai sound*

**Adding an accent to the letter 'e' makes it sound different.**

The most common accent is the acute: *é*
But there is another accent, the grave: *è*
You find this in family words: *mère, père, frère.*
The same sound can also be spelt *ai, ais, ê*
as in *j'ai, mais, tête.*

**1 Count the è sounds in Toto's bubble.**

**2 Listen. Do you hear the è/ai sound (✔) or not (✗)?**

Example *1* ✔

Je suis paresseux et très têtu... mais mes parents m'aiment!

# Bienvenue sur le blog de Yasmina

| | |
|---|---|
| **Pseudo:** | **Nas2** |
| **Lieu:** | **Nantes, France** |
| **Nationalité:** | **Française/Algérienne** |
| **Âge:** | **13 ans** |
| **Passion:** | **le foot** |
| **Idole:** | **Samir Nasri** |

**Ma photo du jour:**

VIDEO **1 Regarde le vidéo-blog. Réponds pour Yasmina.**

**a Tu as des frères et des sœurs?**
J'ai...

**b Tu habites avec qui?**
J'habite avec...

**c Tu te réveilles à quelle heure le matin?**
Je me réveille à...

**d Tu fais quoi le matin?**
Le matin, je...

**e Tu es comment physiquement?**
Je suis...

**f Tes cheveux sont comment?**
J'ai les cheveux...

**g De quelle couleur sont tes yeux?**
J'ai les yeux...

**h Tu as quelles qualités? Quels défauts?**
Je suis...

SPEAKING **2 À toi de répondre aux questions!**

WRITING **3 Décris ta famille et toi sur ton blog. (+/- 150 mots)**

## Écoute!

Zoé shows her friend some photos. Listen and note in English two facts about what each person looks like.

Exemple *Julie – small and quite thin*

- **a** sa cousine Julie
- **b** sa mère
- **c** son père
- **d** son frère
- **e** sa grand-mère
- **f** sa petite sœur

## Parle!

Say five things to describe your appearance and personality.

*Je suis grand et élégant, mais je suis un peu timide!*

## Lis!

Read about Claire's father's job. Find:

- **a** two adjectives that describe Claire's father
- **b** what time he wakes up
- **c** the first thing he does after he gets up
- **d** three things he does at 3 h 45
- **e** what time he leaves the house

Mon père est boulanger*.
Il est très gentil et vraiment travailleur. Tous les jours, il se réveille à 3 h 25. Il se lève cinq minutes après et il prend son petit déjeuner en pyjama dans la cuisine. À 3 h 45, il se brosse les dents, se douche et s'habille dans la salle de bains. À 4 h, il quitte la maison et va à la boulangerie. Le reste de la famille est encore au lit. Nous, on se réveille à sept heures.

Claire

* baker

## Écris!

Write in French about the morning routine for you and your family. Write at least 10 sentences, using two or more connectives (*et*, *mais*, *ou*, *alors*).

On se douche!

# 5 En plus Tu juges selon les apparences?

**1a** READING **Qui est Axel? Imagine et choisis le texte A, B ou C.**

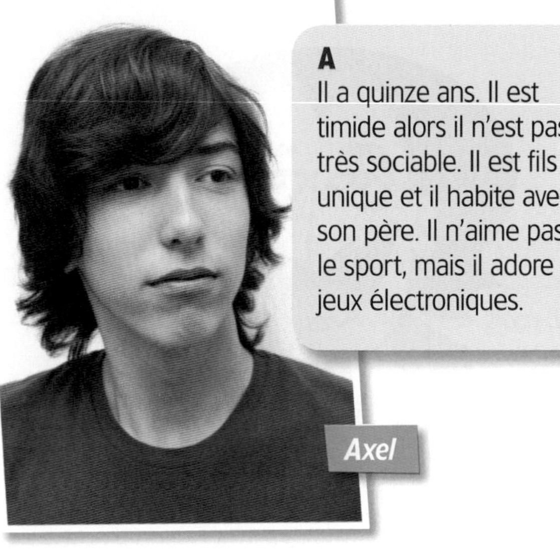


**A**
Il a quinze ans. Il est timide alors il n'est pas très sociable. Il est fils unique et il habite avec son père. Il n'aime pas le sport, mais il adore les jeux électroniques.

**B**
Il n'est pas travailleur, mais il a du talent et il est vraiment intelligent. Au collège, sa matière préférée, c'est l'EPS. Il est très sportif et, en général, il est optimiste.

**C**
Il habite avec ses parents et ses trois frères. Il est assez riche. Il est artiste et il aime beaucoup le dessin. Il est drôle, mais il n'est pas toujours très patient.

**1b** READING **À deux. Comparez.**

*Il a l'air riche / sociable / assez sportif. Moi, je pense qu'il est...*

**Il a l'air (riche / drôle / intelligent)** = He looks (rich / funny / intelligent)

**Moi, je pense que...** = I think...

**Regarde la photo. Lis les commentaires (a–f). Tu es d'accord ou pas?**

- **a** C'est vraiment nul! Elle ne va pas dans la rue comme ça?
- **b** On voit souvent des tatouages et des piercings. C'est moderne. Beaucoup de jeunes font ça.
- **c** Je ne veux pas avoir de piercings, mais on fait ce qu'on veut.
- **d** Les tatouages et les piercings ne sont pas très hygiéniques, alors elle prend des risques.
- **e** Si tu vas au collège avec des piercings, tu es renvoyé. Ce n'est pas juste.
- **f** Elle est super jolie. Je ne vois pas le problème. C'est un look original.

**2b** READING **Grammaire: trouve l'équivalent français dans les commentaires. (Ce sont des verbes irréguliers.)**

- **a** I don't want
- **b** she doesn't go
- **c** she's taking risks
- **d** I don't see
- **e** lots of young people do that
- **f** people do what they want

**En France, il existe 400 000 noms de famille différents. Voici les noms de famille les plus populaires:**

1 Martin
2 Bernard
3 Dubois
4 Thomas
5 Robert
6 Richard
7 Petit
8 Durand
9 Leroy
10 Moreau

Bonjour, je suis Bernard Martin.
Enchanté. Moi, je m'appelle Martin Bernard.


**Certains noms de famille sont inspirés:**

– de l'apparence physique: *Petit, Legrand, Lebrun*

– de là où on habite: *Dubois, Laforêt*

– du travail: *Boulanger, Berger, Mercier*

**Beaucoup de rues portent le nom de personnes célèbres.**

## Le top 20 prénoms en France.

| CLASSEMENT | PRÉNOM |
|---|---|
| 1 | Emma |
| 2 | Lucas |
| 3 | Nathan |
| 4 | Manon |
| 5 | Clara |
| 6 | Clément |
| 7 | Enzo |
| 8 | Hugo |
| 9 | Léa |
| 10 | Louis |
| 11 | Thomas |
| 12 | Mathis |
| 13 | Camille |
| 14 | Antoine |
| 15 | Maxime |
| 16 | Chloé |
| 17 | Théo |
| 18 | Baptiste |
| 19 | Paul |
| 20 | Tom |

READING **1 How many different surnames are there in France?**

READING **2 Name five French surnames which can also be first names.**

Example *Martin,...*

WRITING **3 Work out why the surnames in the blue box (originally based on appearance, home or job) were given. Use a dictionary to help.**

Example *Petit – because the person was short*

WRITING **4 Which of the 20 first names listed do you think are girls' names? Which are boys' names? Write two lists.**

# 5 Vocabulaire

| Ma famille | My family |
|---|---|
| Tu as...? | *Have you got...?* |
| J'ai... | *I've got...* |
| Tu as des frères et sœurs? | *Have you got any brothers and sisters?* |
| Oui, j'ai un frère et deux sœurs. | *Yes, I've got a brother and two sisters.* |
| Je suis fils unique. | *I'm an only child.* (boy talking) |
| Je suis fille unique. | *I'm an only child.* (girl talking) |
| les grands-parents | *grandparents* |
| un grand-père | *grandfather* |
| une grand-mère | *grandmother* |
| les parents | *parents* |
| un père | *father* |
| un beau-père | *stepfather* |
| une mère | *mother* |
| une belle-mère | *stepmother* |
| les enfants | *children* |
| un fils | *son* |
| une fille | *daughter* |
| un frère | *brother* |
| une sœur | *sister* |
| un cousin | *(boy) cousin* |
| une cousine | *(girl) cousin* |
| un oncle | *uncle* |
| une tante | *aunt* |
| J'habite avec ma mère. | *I live with my mother.* |
| Mes parents sont divorcés. | *My parents are divorced.* |

| Tu t'entends bien avec ta famille? | Do you get on well with your family? |
|---|---|
| Je m'entends bien avec mon frère. | *I get on well with my brother.* |
| Je ne m'entends pas bien avec mon grand-père. | *I don't get on well with my grandfather.* |

| Le matin | In the morning |
|---|---|
| Je me réveille. | *I wake up.* |
| Je me lève. | *I get up.* |
| Je prends mon petit déjeuner. | *I have my breakfast.* |
| Je me douche. | *I have a shower.* |
| Je me brosse les dents. | *I brush my teeth.* |
| Je m'habille. | *I get dressed.* |
| Je quitte la maison. | *I leave the house.* |
| J'arrive au collège. | *I arrive at school.* |
| (Tu te réveilles) à quelle heure? | *What time (do you wake up)?* |
| (Je me réveille) à sept heures quinze. | *(I wake up) at 7.15.* |

| Décrire ton apparence | Describing your appearance |
|---|---|
| Tu es comment? | *What do you look like?* |
| Je suis... | *I am...* |
| Il / Elle est comment? | *What does he / she look like?* |
| Il est / Elle est... | *He is / She is...* |
| grand / grande | *tall* |
| petit / petite | *short* |
| gros / grosse | *well-built, fat* |
| mince | *slim* |
| De quelle couleur sont tes cheveux? | *What colour is your hair?* |
| Je suis blond / blonde. | *I've got fair hair. / I'm fair-haired.* |
| Il est brun. | *He's got dark hair. / He's dark-haired.* |
| Elle est brune. | *She's got brown hair.* |
| Il est roux. / Elle est rousse. | *He's got / She's got ginger hair.* |
| Tes cheveux sont comment? | *What's your hair like?* |
| J'ai / Il a / Elle a... | *I've got / He's got / She's got...* |
| les cheveux longs / courts | *long / short hair* |
| les cheveux raides / frisés | *straight / curly hair* |
| De quelle couleur sont tes yeux? | *What colour are your eyes?* |
| J'ai / Il a / Elle a les yeux marron / bleus / verts / gris. | *I've got / He's got / She's got brown / blue / green / grey eyes.* |
| un long nez / un petit nez | *a long nose / a small nose* |
| Tu portes des lunettes? | *Do you wear glasses?* |
| Je / Il / Elle porte des lunettes. | *I wear / He / She wears glasses.* |

| Décrire ta personnalité | *Describing your personality* |
|---|---|
| Je suis... | *I'm...* |
| artiste | *artistic* |
| bavard / bavarde | *talkative* |
| curieux / curieuse | *curious* |
| drôle | *funny* |
| égoïste | *selfish* |
| gentil / gentille | *kind* |
| généreux / généreuse | *generous* |
| intelligent / intelligente | *intelligent* |
| jaloux / jalouse | *jealous* |
| optimiste | *optimistic* |
| paresseux / paresseuse | *lazy* |
| romantique | *romantic* |
| sportif / sportive | *sporty* |
| sympa | *nice* |
| têtu / têtue | *stubborn* |
| timide | *shy* |
| travailleur / travailleuse | *hard-working* |
| Il est un peu timide. | *He's a bit shy.* |
| Elle est assez paresseuse. | *She's quite lazy.* |
| Il est très bavard. | *He's very talkative.* |

## Toto's Top Tips

Get to grips with gender!

*You can re-use sentences you've met when you are speaking or writing. If they are not exactly right for you, adapt them!*

**A Look at pages 98–99 and find sentences you can adapt to say the following:**

Example She's quite shy. = *Elle est assez ~~paresseuse~~.*
***> Elle est assez timide.***

a Have you got any uncles and aunts?
b I live with my brother.
c I have a shower every day.
d He's a bit stubborn.

## Toto, où es-tu?

1
Toto, où es-tu? Toto, tu es là?
**Moi, je me lève**
**Mais tu ne te lèves pas**
Toi, tu restes au lit
Au lit, au lit, au lit
Toi, tu restes au lit.

2
Toto, où es-tu? Toto, tu es là?
**Moi, je me douche**
**Mais tu ne te douches pas**
Toi, tu restes au lit
Au lit, au lit, au lit
Toi, tu restes au lit.

3
**...Moi, je m'habille**
**Mais tu ne t'habilles pas...**

4
**...Moi, je m'amuse**
**Mais tu ne t'amuses pas...**

**1 Lis et écoute. Choisis un adjectif pour Toto.**

**a** *travailleur?* **b** *sportif?* **c** *paresseux?* **d** *jaloux?*

**2 Trouve comment on dit:**

a Where are you?
b You stay in bed.
c You're not having fun.

**3 Chante avec le CD.**

On
1
2
4
5
7
8
Bof! :-!
Miam miam! :-)

# mange! 6

Beurk! :-(

**Contexts: Food and meals**

**Grammar focus: *du/de la/de l',* *au/à la/à l'...***

**Les repas en France**
le petit déjeuner = 18 minutes
le déjeuner = 33 minutes
le dîner = 45 minutes

**Grenouille, escargot, cheval et lapin**
Oui, c'est au menu en France
mais ce n'est pas très populaire!
On préfère manger des huîtres
(140 000 tonnes par an).

**Le repas traditionnel en France:**
l'entrée
le plat
la salade
le fromage
le dessert

READING **1 Regarde les photos. C'est quoi?**

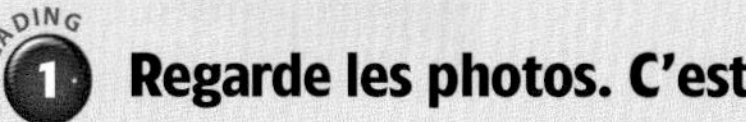

**a** *une pizza*
**b** *des escargots*
**c** *une paëlla*
**d** *des nems*
**e** *une quiche lorraine*
**f** *un couscous*
**g** *un steak-frites*
**h** *une religieuse*
**i** *un hamburger*

SPEAKING **2 Donne ton opinion sur les plats.**

Exemple *Une pizza, miam! J'adore ça! Mon plat préféré, c'est le / la / les...*

# 6.1 On va au café?

- **Places to eat; food**

1 le café

2 le restaurant

3 le fast-food

4 la pizzeria

5 la crêperie

6 la cafétéria

le café
le restaurant
le fast-food
le salon de thé
la sandwicherie
la crêperie
la cafétéria
la pizzeria

**1 Regarde la vidéo. Qu'est-ce que tu vois? Note dans l'ordre.** (VIDEO)

**2 Quelles images manquent?** (VIDEO)

**3 À deux: ping-pong.** (SPEAKING)

Exemple **A** fast-food **B** Je mange **au** fast-food.
**B** pizzeria **A** Je vais **à la** pizzeria.

**at, in, to** = au + masc. noun
à la + fem. noun

| | | |
|---|---|---|
| Je vais | à la | pizzeria / crêperie / cafétéria |
| Je mange | au | café / restaurant / fast-food |

*Samedi, 12 h 30, après les cours.*

| | |
|---|---|
| *Claire* | Tu prends le bus? Tu vas où? |
| *Sara* | Je vais en ville. Vous venez avec moi? |
| *Marie* | Oui, d'accord. |
| *Claire* | Oui, d'accord. Tu manges où quand tu vas en ville? |
| *Sara* | Euh... ça dépend. |
| *Marie* | On va au fast-food? C'est rapide! Moi, je voudrais un hamburger. |
| *Sara* | Non, non merci! Je ne veux pas de hamburger, je déteste ça! Je voudrais manger une pizza. On va à la pizzeria? |
| *Claire* | Bof! La pizzeria, c'est cher*... Je préfère les crêpes. Vous ne voulez pas aller à la crêperie? C'est sympa, la crêperie! |
| *Sara* | Oui, je veux bien. Bonne idée! J'adore les crêpes! |
| *Marie* | Allons-y! |

* expensive

**4 Écoute, lis et trouve:**

- **a** three adjectives to describe eating places
- **b** three ways of saying you like food or not
- **c** two ways of suggesting a place to go
- **d** three ways of accepting an invitation

**5 Écoute (1–3). Ils vont où? Ils mangent quoi?**

un sandwich

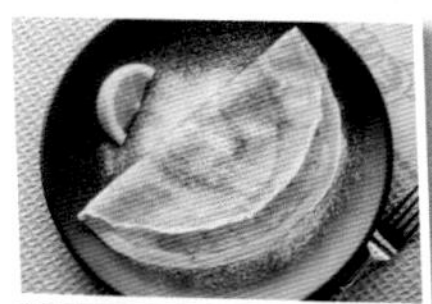
une crêpe

un steak-frites

une pizza

un croque-monsieur*

* toasted ham and cheese sandwich

**6 À deux: inventez une conversation! Utilisez les expressions (activité 4 a, b, c, d). Cherchez des mots dans le dictionnaire.**

Exemple **A** *On mange où?*
**B** ***Je voudrais*** *un gâteau.* ***On va*** *au salon de thé?*
**A** *Oui, je veux bien/Non, merci...*

**Je voudrais** une pizza.
*I'd like a pizza.*
**Tu voudrais** aller au café?
*Would you like to go to the café?*
**On va** au café?
*Shall we go to the café?*
**Je veux bien.** *I'd like to.*
**Non, merci.** *No thanks.*

# 6.2 S'il vous plaît!

- Ordering food; prices

## Les nombres 70 – 100

**1 Écoute. Quels nombres manquent?**

**2 À deux: A pense à un nombre (70–100). B devine. (B → A)**

**A** *78?* **B** *Non, plus*.*
**A** *85?* **B** *Non, moins*.*
**A** *82?* **B** *Oui!*

* more
* less

| | | |
|---|---|---|
| **70** | (60 + 10) | ***soixante-dix*** |
| **71** | (60 + 11) | ***soixante-et-onze*** |
| **72** | (60 + 12) | ***soixante-douze*** |
| **80** | (4 x 20) | ***quatre-vingts*** |
| **81** | (4 x 20 + 1) | ***quatre-vingt-un*** |
| **82** | (4 x 20 + 2) | ***quatre-vingt-deux*** |
| **90** | (4 x 20 + 10) | ***quatre-vingt-dix*** |
| **91** | (4 x 20 + 11) | ***quatre-vingt-onze*** |
| **92** | (4 x 20 + 12) | ***quatre-vingt-douze*** |
| **100** | | ***cent*** |

**C'est vrai! Mais comment?**

Réponse:
quatre-vingt-dix-huit = ninety-eight

## Au choix:
### un sandwich, une pizza, une crêpe, une glace

**3 Écoute et note. Tu aimes?**

Exemple **1** *Une pizza aux olives. J'adore!*

**4 Invente des menus fous!**

Exemple *Pour Homer Simpson, une pizza au chocolat et une glace à la bière*!*

* beer

**à** + flavour / filling / topping
**à la** vanille (f.)
**au** chocolat (m.)
**à l'**orange / **à l'**ananas (*before vowel or h*)
**aux** olives (*masc. / fem. plural*)



*Visit Clic! OxBox*

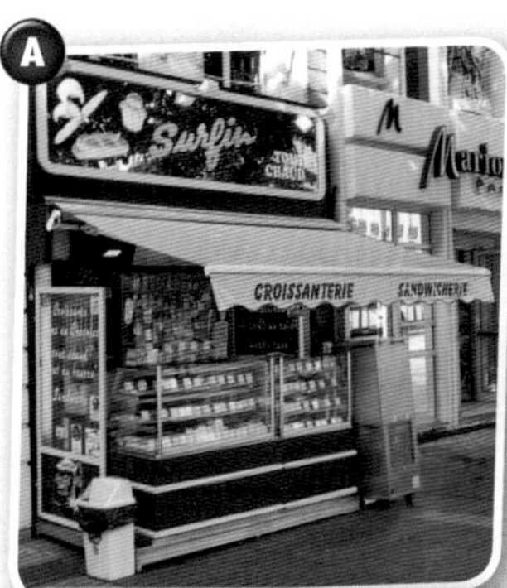


- Bonjour! Vous désirez?
- Un sandwich au XXX, s'il vous plaît.
- Voilà. C'est tout?
- Oui. C'est combien?
- C'est **4,??** euros.
- Voilà, merci. Au revoir!

- Bonjour! Vous désirez?
- Je voudrais une soupe, s'il vous plaît.
- Comme plat?
- Un steak-frites, s'il vous plaît.
- Et comme dessert?
- Je vais prendre une glace **à l'**XXX. Ça fait combien?
- Ça fait 15,**??** euros.

- Bonjour! Vous désirez?
- Je vais prendre une crêpe au XXX, s'il vous plaît.
- Et avec ça?
- Une glace **à la** XXX. Ça fait combien en tout?
- Alors, ça fait 8,**??** euros.

- Bonjour! Vous désirez?
- Pour moi, une pizza aux XXX et aux XXX. Et pour toi?
- Pour moi, une pizza au XXX à l'XXX, s'il vous plaît.
- Et avec ça?
- C'est tout. Ça fait combien?
- Alors, ça fait 11,**??** euros.

 **5 Lis les conversations A–D. Devine: remplace XXX par les bons mots (page 104).**

 **6a Écoute pour vérifier.**

 **6b Réécoute. Note les prix.**

 **7 Relis et note:**

**a** 4 ways of ordering food.
How to say:
**b** What would you like?
**c** Anything else? (2)
**d** How much is it? (2)

*Une crêpe au fromage, s'il vous plaît. Je suis végétarienne.*
*Désolé, il n'y a pas de crêpe au fromage, mais il y a des crêpes au jambon, au salami, au bacon...*

 **8 Écoute trois dialogues. Trouve:**

**a** le client le plus poli **b** la serveuse la moins polie

 **9 À deux: inventez et écrivez d'autres dialogues. Donnez des personnalités – poli, pas poli, de bonne humeur, etc.**

# 6.3 Ma recette préférée

- Recipes: ingredients and quantities

## Les ingrédients

## Les quantités

**1a Fais la liste de courses avec les quantités.**

Exemple *une boîte de cerises, ...*

**1b Écoute et vérifie.**

**2 Imagine: tu fais les courses.**

**a** Comment demander les choses sur ta liste?
**b** Écoute et note les expressions utilisées.

**How to talk about quantities**

Quantity + **de/d**

Exemple: un paquet **de** sucre – *a packet of sugar*
un kilo **de** cerises – *one kilo of cherries*
200 grammes **de** beurre – *200 grams of butter*

***Défi!***

À deux: A est client. B est commerçant. Inventez et écrivez la conversation. (B →A)

Exemple **B** *Bonjour. Vous désirez?*
**A** *Je voudrais une bouteille de lait et une boîte d'ananas, s'il vous plaît.*

## Les nombres 100+

**3 Écoute et note l'intrus (*the odd-one-out*).**

**4 À deux: comptez et faites des paires. (B→A)**

Exemple **A** *450 moins 340 égalent 110.*
**B** *75 plus 35 égalent 110.*

| | |
|---|---|
| **450 − 340 =** | **250 + 70 =** |
| **465 − 375 =** | **75 + 35 =** |
| **560 − 240 =** | **268 − 178 =** |
| **265 + 190 =** | **630 − 175 =** |
| **129 + 111 =** | **478 − 238 =** |

| | | |
|---|---|---|
| **100 = cent**<br>**101 = cent un**<br>**102 = cent deux**<br>**200 = deux cents**<br>**201 = deux cent un**<br>**300 = trois cents**<br>**301 = trois cent un**<br>**999 = neuf cent quatre-vingt-dix-neuf** | grammes | de / d' |
| Un | kilo<br>litre | |

*Ma recette préférée, c'est le clafoutis aux cerises.*

**Le clafoutis aux cerises**
Ingrédients:
✻✻✻ grammes de farine
✻✻✻ œufs
✻✻✻ grammes de sucre en poudre
✻✻✻ litre de lait
✻✻✻ kilo de cerises
sel, beurre

**Recette**: D'abord, mélanger la farine, le sucre, les œufs et le sel. Ensuite, ajouter le lait petit à petit. Puis beurrer un plat, mettre les cerises dedans et verser la pâte par dessus. Pour finir, mettre ✻✻✻ minutes dans un four chaud ✻✻✻ °C, thermostat ✻✻✻).

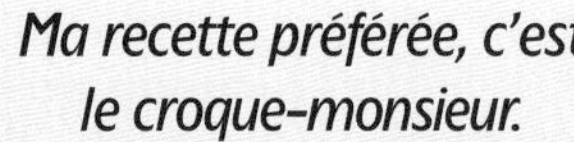

*Ma recette préférée, c'est le croque-monsieur.*

**Le croque-monsieur**
Ingrédients:
✻✻✻ tranches de pain
✻✻✻ tranches de jambon
✻✻✻ grammes de fromage râpé
beurre, poivre, huile d'olive

**Recette**: D'abord, beurrer le pain. Ensuite, mettre une tranche de jambon et le fromage râpé entre deux tranches de pain et ajouter un peu de poivre. Puis mettre le fromage râpé sur les croque-monsieur et ajouter un peu d'huile d'olive. Pour finir, mettre ✻✻✻ minutes dans un four à ✻✻✻ °C (thermostat ✻✻✻).

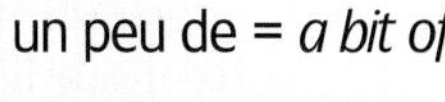

un peu de = *a bit of*

**5 Lis les recettes.**

**a** What words...?
- are similar in English and French
- are different but you understand them
- don't you understand (look them up in the dictionary)

**b** Explain the recipes in English. How do you translate: *d'abord, ensuite, puis, pour finir?*

**6 Écoute et notes les nombres qui manquent dans les recettes.**

**7 À deux: écrivez votre recette préférée.**

# 6.4 Mange bien!

- Healthy eating

## Sondage

**1a Relie les réponses de Thomas aux questions du sondage.**

1. *Est-ce que tu manges le matin?*
2. *Qu'est-ce que tu manges le midi?*
3. *Tu prends un goûter l'après-midi?*
4. *Tu manges où le soir?*

**a** Oui! Le petit déjeuner, c'est mon repas préféré! Je mange toujours du pain avec du Nutella, un fruit et un yaourt. Je bois un jus de fruit et du chocolat chaud.

**b** En général, pour le dîner, je mange devant la télé ou l'ordinateur. De temps en temps, on dîne dans la salle à manger. Des fois, le week-end, on va à la pizzeria ou au restaurant.

**c** Oui, de temps en temps, après l'école, je mange des fruits ou des barres de céréales et je bois de l'eau minérale.

**d** Je vais à la cantine pour le déjeuner, mais ce n'est pas très bon, alors en général, je ne mange pas beaucoup.

**1b Écoute et vérifie.**

**2a Lis. À deux: imaginez l'interview de Yasmina. Utilisez les questions du sondage. (B →A)**

Le matin, je ne prends jamais de petit déjeuner. Je bois juste un café! Le midi, pour le déjeuner, je vais à la sandwicherie avec des copains. Je mange un sandwich et je bois un jus de fruit ou un soda. L'après-midi, après le collège, je mange toujours des biscuits ou des gâteaux et je bois un soda. En général, pour le dîner, je mange dans la cuisine, avec mes parents, mes sœurs et mon frère. De temps en temps, je mange dans le salon, devant la télé.

**2b Écoute et vérifie.**

Exemple **A** *Est-ce que tu manges le matin?*
**B** *(**Yasmina**): Non, je ne prends pas de petit déjeuner.*

**3 Écris tes réponses au sondage.**

*some* = **du / de la / de l' / des...**
du pain (m.)
de la viande (f.)
de l'eau (*after vowel or h*)
des cerises (*m. or f. pl*)

*not any* = **pas de / d'**
**pas de** pain / viande / cerises
**pas d'**huile (*after vowel or h*)

# Les bonnes résolutions

## Qu'est-ce que tu vas faire pour être en forme?

1 Je vais manger ✻✻✻ le matin au petit déjeuner.
2 Je vais manger ✻✻✻ vite le midi à la cantine.
3 Je vais manger ✻✻✻ de pain, de pâtes* et de riz*.
4 Je vais boire ✻✻✻ d'eau du robinet.
5 Je vais boire ✻✻✻ de soda et de jus de fruit le soir.
6 Je vais mettre ✻✻✻ de sel sur les légumes*.
7 ✻✻✻ prendre des vitamines.
8 ✻✻✻ faire un régime.*
9 ✻✻✻ prendre un goûter l'après-midi après l'école.
10 ✻✻✻ avoir beaucoup d'énergie si je mange du sucre.

* to go on a diet

la viande
le poulet
le poisson
les légumes
les fruits

les pâtes
le riz

**Lis. Complète avec *plus, moins, je vais, je ne vais pas*.**

Exemple **1** *Je vais manger* ***plus*** *le matin au petit déjeuner.*

**À deux: posez des questions et notez les réponses. (B →A)**
**B** should answer without using the book.

Exemple **A** *(Est-ce que) tu vas manger plus ou moins le matin au petit déjeuner?*
**B** *Je vais manger plus le matin au petit déjeuner.*

**Écoute (1–10). Compare avec tes réponses.**

**Grammaire: futur ou pas?**

**a** Je mange à la cantine tous les jours.
**b** Je vais aller au restaurant samedi soir.
**c** J'ai mangé au fast-food.
**d** Je vais au restaurant tous les dimanches.
**e** Je vais manger plus de fruits.

**Écris cinq bonnes résolutions!**
**Compare avec ton / ta partetnaire.**

Exemple *Je vais manger des fruits le matin.*

### Grammaire

**Talking about the future**
**aller** + *infinitive*

*Now:* *I'm eating*
**Je mange**
*Soon:* *I'm going to eat*
**Je vais manger**
*I'm not going to eat*
**Je ne vais pas manger**

**plus de** = *more*
**moins de** = *less*
e.g. plus de sel = *more salt*

### *Défi!*

Ajoute six bonnes résolutions au quiz.

Exemple *Je vais manger plus / moins de gâteaux.*

# 6 Labo-langue

## Bien comprendre! *au/à la/aux, du/de la/des*

French nouns are masculine or feminine and this affects words linked to them, including little words like 'à' or 'de'.

**A 'à' changes when it combines with *le* or *les*.**

**J'habite/Je vais/Je suis...**
**à** + **la** = **à la campagne**
**à** + **le** = **au bord de la mer**
**à** + **les** = **aux États-Unis**

**Je voudrais/Je vais prendre une crêpe...**
**à** + **la** = **à la vanille**
**à** + **le** = **au jambon**
**à** + **les** = **aux olives**

**NB**: when the noun starts with a vowel or a silent *h*, use **à** + **l'**: *à l'hôtel; à l'orange*

**à** means *in, at, to,* but it is not always translated in English! *la glace à la vanille* = vanilla ice cream.

**B 'de' changes when it combines with *le*, *la* or *les*.**

**'de' + a quantity of something you can't really count**
de + **la** = **de la salade**
de + **le** = **du fromage**
de + **les** = **des frites**

**NB**: when the word starts with a vowel or a silent *h*, use **de** + **l'**: *Je voudrais de l'eau.*

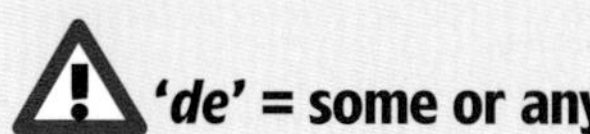

**'de' = some or any**
Il y a du pain? *Is there any bread?*
Il y a du pain. *There's some bread.*

**But it is not always translated in English:**
Je vais prendre de la soupe et du pain.
*I'll have soup and bread.*

**To say there isn't any of something, use *pas de/d'***
Il **n'**y a **pas de** salade/fromage/frites.
Il **n'**y a **pas d'**eau.

**1 Copy and complete with a word to make each sentence correct.**

1 Le midi, je bois de l'...
2 Le soir, j'aime bien manger du....
3 Il y a de la glace à la...
4 Je ne mange pas de...
5 Ce n'est pas de la ...
6 Vous avez des sandwiches aux...?

**2 How would you say these in French?**

1 I eat bread and butter for breakfast.
2 I'd like a cheese and tomato sandwich.
3 There's no flour.

**C You use '*aller*' + infinitive verb to talk about the future.**

**Je vais manger** moins de fromage.
***I will eat*** *less cheese.*

**1 How would you say this in French?**

1 I will eat less bread.
2 I will eat fruits.
3 I will go to the cinema.
4 We will drink fruit juice.
5 We will eat in the kitchen.



*Visit Clic! OxBox*

## Bien apprendre! *Asking questions*

There are several ways of asking questions.

**a Turn a statement into a question (see *Bien parler* below).**

Tu manges des fruits?
Est-ce que tu manges des fruits?

**b Use question words.**

*Qu'est-ce que* tu manges?

**1 How many questions can you ask about this photo, using the question words above?**

**2 Listen. Which question words do you hear? List them.**

**3 Make up 12 questions to ask your partner.**

Exemple *Tu habites où?*
*Qu'est-ce que tu aimes faire le soir?*

## Bien parler! *Intonation*

**1 Listen. What is the difference in the way these sentences are said?**

**a** Tu vas à la cantine.
**b** Tu vas à la cantine?
**c** Elle mange une pizza.
**d** Elle mange une pizza?

### *Défi!*

Write six sentences. Read each one out to the class who work out if it's a question or a statement.

**2 Listen. Raise your hand when you hear a question.**

### *Stratégies*

**How can you make a statement into a question?**

When writing: use punctuation.
When speaking: use your voice.

*Elle mange une pizza.* *Elle mange une pizza?*

CHECKLIST IN THE WORKBOOK Page 16

# Bienvenue sur le blog de Thomas

Pseudo: Fan2F1
Lieu: Nantes, France
Nationalité: Français
Âge: 12 ans
Passion: la cuisine
Idole: l'inventeur du Nutella!

Ma photo du jour:

VIDEO **1 Regarde le vidéo-blog. Réponds pour Thomas.**

a **Qu'est-ce que tu manges le matin?**
Le matin, au petit déjeuner, je mange...

b **Tu manges où en ville?**
En ville, je mange...

c **Tu vas quand au restaurant?**
Je vais au restaurant...

d **C'est quoi, ton plat préféré?**
Mon plat préféré, c'est...

e **C'est quoi, ta recette préférée?**
Ma recette préférée, c'est...

f **Qu'est-ce que tu voudrais manger ce soir?**
Ce soir, je voudrais manger...

g **Tu manges bien en général?**
En général, je mange...

h **Qu'est-ce que tu vas faire pour être en forme?**
Pour être en forme, je vais...

SPEAKING **2 À toi de répondre!**

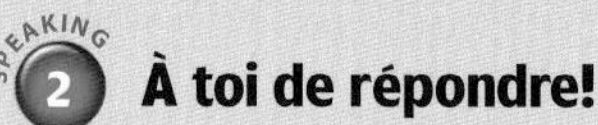

WRITING **3 Décris ce que tu manges sur ton blog. (+/- 100 mots)**

**1 Écoute!**

Listen to Clément. True or false?

Exemple **1** = *true*

**1** He eats lots at breakfast.
**2** He eats fruit and veg every day.
**3** He never drinks fizzy drinks.
**4** He eats something after school
**5** He avoids rice and pasta.
**6** He never eats in a fast-food place.

**2 Lis!**

Read the statements and match each one to a tray.

Exemple **1** = *e*

**1** Le matin, je mange deux tranches de pain avec du beurre et je bois un chocolat chaud.
**2** Je vais prendre une pizza aux fruits de mer avec de la salade et un soda.
**3** Le midi, je mange souvent un sandwich au jambon, des chips et je bois de l'eau.
**4** Pour moi, un croque-monsieur et une glace à la vanille.
**5** Quand je vais au restaurant, je mange un steak avec des frites et de la salade.
**6** Je voudrais une crêpe au chocolat et un jus de fruit.

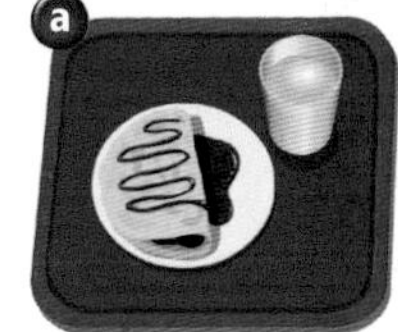

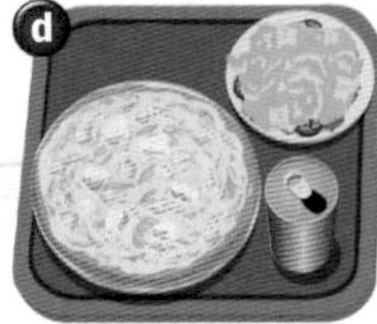

**3 Écris!**

Write a paragraph giving the following information.

Exemple *J'adore les pizzas aux olives. C'est mon plat préféré.*

**1** Food you like
**2** What you have for breakfast
**3** Where and what you eat at lunch time
**4** Where and what you eat when you go out
**5** One healthy resolution

**4 Parle!**

Look at the shopping lists. Imagine what each customer will say to the shopkeeper. Remember, be very polite, and be precise with quantities.

Exemple *Bonjour, monsieur. Je voudrais une boîte d'olives, s'il vous plaît.*

Bonjour, vous désirez?
Et avec ça?
C'est tout?
Dix euros, s'il vous plaît.
1 tin of olives
2 bottles of water
6 slices of ham
3 tins of tomatoes
chunk of cheese
3 packets of crisps

**Non!** ✗

- **Tu veux encore de la soupe, Toto?**
- **Beurk! Non, c'est horrible!**

**Oui!** ✓

- **Tu veux encore de la soupe, Toto?**
- **Non, merci, j'ai très bien mangé.**

## 1 Trouve la meilleure réponse pour refuser l'offre.

1. Tu veux un morceau de gâteau au chocolat?
2. On va au fast-food?
3. Tu voudrais une glace à la vanille?
4. Tu voudrais un sandwich au jambon?
5. Tu veux manger du poisson ce soir?
6. Tu veux plus de frites avec ton steak?

- **a** Non, merci mais je ne mange pas de jambon.
- **b** Non, je n'aime pas les desserts.
- **c** Non, je n'aime pas beaucoup les hamburgers.
- **d** Non, merci, j'ai très bien mangé.
- **e** Non, merci je suis végétarien.
- **f** Non, je suis allergique au chocolat.

## 2 Relie le français et l'anglais.

1. I'm not really hungry.
2. I'm not thirsty any more.
3. I'm not thirsty.
4. I'm not hungry any more.

- **a** Je n'ai pas soif.
- **b** Je n'ai plus faim.
- **c** Je n'ai pas très faim.
- **d** Je n'ai plus soif.

**J'ai faim** = *I am hungry*
**J'ai soif** = *I am thirsty*

**faim** – don't pronounce the final ***m***
**soif** –pronounce the final ***f***

## 3 Réponds à ces offres avec une expression des activités 1 et 2.

1. Tu veux un coca?
2. Tu voudrais un dessert?
3. Tu mets du lait dans ton thé?
4. Tu ne veux pas de légumes?
5. Tu ne veux pas un peu de poulet*?
6. Tu vas prendre une pizza aux fruits de mer?

# Le sais-tu?

Un chef français, Marie-Antoine Carême, invente la toque, le grand chapeau blanc, au 18ème siècle.

Le premier restaurant ouvre en 1766 à Paris. Avant, dans les auberges, on mangeait* un plat sur une grande table commune. Au restaurant, on choisit un plat sur un menu et on mange sur une petite table individuelle!

En 1795, un chef français, Nicolas Appert, stérilise et met des légumes et de la viande dans des boîtes pour les armées de Napoléon. Il invente les premières boîtes de conserve!

Du 14 au 20 mai,
nous faisons
la Fête du Pain !
Un jour, je serai boulanger
partout en France
www.fetedupain.com


En France, on aime le pain et les boulangers! La majorité des Français achète du pain frais tous les jours. Le pain le plus populaire? La baguette!

READING **1** **Read and find the French for:**

**a** a chef's hat **b** inns **c** tins **d** bakers

SPEAKING **2** **Did you already know any of these facts? What surprised you the most?**

SPEAKING **3** **Look back through unit 6. What have you learned about French food that you didn't know before?**

# 6 Vocabulaire

| **Tu manges où en ville?** | ***Where do you eat out?*** |
|---|---|
| Je mange... | *I eat at...* |
| à la pizzeria | *a pizzeria* |
| à la crêperie | *a pancake restaurant* |
| à la cafétéria | *a cafeteria* |
| à la sandwicherie | *a sandwich bar* |
| au salon de thé | *a tearoom* |
| au café | *a café* |
| au restaurant | *a restaurant* |
| au fast-food | *a fast-food restaurant* |
| On va au restaurant? | *Shall we go to the restaurant?* |
| Tu ne veux pas aller à...? | *Wouldn't you like to go to...?* |
| Je veux bien. | *I'd like to.* |

| **Vous désirez?** | ***What would you like?*** |
|---|---|
| Je voudrais... s'il vous plaît. | *I'd like... please.* |
| Je vais prendre... | *I'll have...* |
| Pour moi, ... | *For me, ...* |
| une crêpe | *a pancake* |
| une pizza | *a pizza* |
| une glace | *an ice cream* |
| un sandwich | *a sandwich* |
| un hamburger | *a hamburger* |
| un steak-frites | *a steak with chips* |
| un croque-monsieur | *a toasted ham and cheese sandwich* |
| C'est tout? | *Is that it?* |
| Et avec ca? | *Anything else?* |
| C'est / Ça fait combien? | *How much is it?* |
| C'est / Ça fait... euros. | *It's... euros.* |
| Voilà | *There you are* |
| Merci, au revoir | *Thank you, goodbye* |

| **à / à l' / au / aux...** | ***flavours/fillings/toppings*** |
|---|---|
| une pizza à la tomate | *a tomato pizza* |
| une glace à l'orange | *an orange ice cream* |
| un gâteau au chocolat | *a chocolate cake* |
| un sandwich aux fruits de mer | *a seafood sandwich* |
| à la vanille | *vanilla* |
| à l'orange | *orange* |
| au chocolat | *chocolate* |
| au jambon | *ham* |
| au fromage | *cheese* |
| à l'ananas | *pineapple* |
| aux fruits de mer | *seafood* |
| aux olives | *olives* |

| **Ma recette préférée** | ***My favourite recipe*** |
|---|---|
| la farine | *flour* |
| le sucre en poudre | *caster sugar* |
| le lait | *milk* |
| le pain | *bread* |
| le fromage râpé | *grated cheese* |
| le jambon | *ham* |
| le beurre | *butter* |
| le sel | *salt* |
| le poivre | *pepper* |
| les œufs | *eggs* |
| les cerises | *cherries* |
| l'huile d'olive | *olive oil* |
| cent grammes (de) | *100 grammes (of)* |
| un kilo (de) | *a kilo* |
| un litre (de) | *a litre* |
| un morceau (de) | *a chunk* |
| une bouteille (de) | *a bottle* |
| un paquet (de) | *a packet* |
| une tranche (de) | *a slice* |
| une boîte (de) | *a tin/box* |
| | |
| beurrer | *to butter* |
| mélanger | *to mix* |
| ajouter | *to add* |
| un plat | *a dish* |
| un four chaud | *a hot oven* |
| | |
| D'abord, ... | *First, ...* |
| Ensuite, ... | *Next, ...* |
| Puis ... | *Then, ...* |
| Pour finir, ... | *Finally, ...* |

| **Bien manger** | ***Healthy eating*** |
|---|---|
| pour être en forme | *to be fit* |
| je bois | *I drink* |
| je mange | *I eat* |
| je vais manger... | *I'm going to eat...* |
| en général | *generally* |
| de temps en temps | *from time to time* |
| souvent | *often* |
| plus (de) | *more/more of* |
| moins (de) | *less/less of* |

| **Les repas** | ***Mealtimes*** |
|---|---|
| le matin | *in the morning* |
| le petit déjeuner | *breakfast* |
| le midi | *at lunchtime* |
| le déjeuner | *lunch* |

| | |
|---|---|
| l'après-midi | *in the afternoon* |
| le goûter | *afternoon snack* |
| le soir | *in the evening* |
| le dîner | *dinner* |

| **Questions** | ***Question words*** |
|---|---|
| Est-ce que...? | *...?* |
| Qu'est-ce que...? | *what?* |
| Quoi? | *what?* |
| Qui? | *who?* |
| Quand? | *when?* |
| Où? | *where?* |
| Comment? | *how?* |
| Combien? | *how much/many?* |
| Quel/Quelle...? | *which?* |
| Pourquoi? | *why?* |

### Toto's Top Tips
Question time!

*Talking to someone in French doesn't just mean you answer questions. Ask them too! Just make sure you remember the right question words!*

**A How many question words on page 117 start with the 'k' sound?**

**B Complete these questions using question words from page 117**

**a** *** c'est facile à faire?
**b** *** il faut?
**c** *** va au restaurant?
**d** Je mange *** le matin?

# Au marché

**Aujourd'hui, je fais les courses**
**Et au marché, je vais acheter...**

... des épinards, une ou deux poires
du camembert et de la bière
et un bout de gruyère

... des champignons, un gros melon
du saucisson et des citrons
et six tranches de jambon

... un ananas et de la glace
des avocats, de la pizza
des crêpes au chocolat

**Aujourd'hui, j'ai fait les courses**
**mais j'ai oublié d'acheter...**

... des épinards, une ou deux poires
du camembert et de la bière
et un bout de gruyère

... des champignons, un gros melon
du saucisson et des citrons
et six tranches de jambon

... un ananas et de la glace
des avocats, de la pizza
des crêpes au chocolat

**Aïe aïe aïe aïe aïe!!!**

SPEAKING **1 À deux: devinez les mots nouveaux ou cherchez dans le glossaire, page 144.**

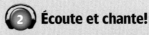

**2 Écoute et chante!**

WRITING **3 Ajoute d'autres choses à la liste!**

Exemple *un hamburger, un peu de beurre*

## Les mascottes de la Coupe du Monde de football

**Année:** 1990
**Pays:** l'Italie
**Il s'appelle:** Ciao (ciao = 'salut!' en italien)
**C'est:** un footballeur en briques
**Couleurs:** rouge, blanc et vert (les couleurs du drapeau italien)

**Année:** 1994
**Pays:** les États-Unis (USA)
**Il s'appelle:** Striker
**C'est:** un chien avec un T-shirt avec les lettres USA
**Couleurs:** marron, avec un uniforme rouge, blanc et bleu

**Année:** 1998
**Pays:** la France
**Il s'appelle:** Footix
**C'est:** un coq footballeur
**Couleurs:** rouge et bleu avec un bec jaune

**Année:** 2002
**Pays:** la Corée/le Japon
**Ils s'appellent:** Kaz, Ato et Nik
**Ce sont:** des créatures bizarres
**Couleurs:** orange, violet et bleu

**Année:** 2006
**Pays:** l'Allemagne
**Il s'appelle:** Goleo VI (goal + léo)
**C'est:** un lion
**Couleurs:** marron, avec un T-shirt blanc avec le numéro zéro six

**1 Answer the questions in English.**

- **a** Which country hosted the football World Cup in 1998?
- **b** What were the colours of the Italian mascot?
- **c** What animal features for America?
- **d** What was the French mascot called?

**2 Choose the mascot you like best and write a paragraph about it in English.**

### Défi!

Design a mascot for the next World Cup and write a card for it in French.

C'est quoi? C'est les Jeux Olympiques. Ça s'appelle aussi 'les J.O.'

Il y a trois médailles aux Jeux Olympiques:
la médaille d'or
la médaille d'argent
la médaille de bronze

Le pays d'origine des Jeux Olympiques, c'est la Grèce.

En 1896, un Français organise les premiers Jeux Olympiques modernes. Il s'appelle Pierre de Coubertin.

Aux Jeux Olympiques, il y a deux langues officielles: l'anglais et le français.

Le drapeau olympique est blanc, avec cinq anneaux de couleur. Les couleurs représentent les continents:

le bleu = l'Europe
le jaune = l'Asie
le noir = l'Afrique
le vert = l'Océanie
le rouge = l'Amérique

*Le drapeau olympique*

**1 Read and find out what is France's connection with the Olympic Games.**

**2 Answer the questions in English.**

- **a** Which two letters of the alphabet stand for Olympic Games in French?
- **b** In which country were the original games held?
- **c** Who was Pierre de Coubertin?
- **d** What are the official languages of the Olympic Games?
- **e** What does the blue circle on the Olympic flag represent?

# 2A Lecture En France, on aime le sport!

Au Mans, en juin, il y a une course automobile. Elle s'appelle *les vingt-quatre heures du Mans.*

*On adore le cyclisme! En juillet, c'est le Tour de France (environ 3 500 kilomètres). L'arrivée de la course est à Paris.*

Les sports préférés des Français? Le football, le tennis et le judo-jujitsu.
Et pour les Françaises? C'est le cheval!

Dans les Alpes, on fait du ski mais aussi de l'escalade.

La pelote basque, c'est le sport préféré au pays Basque*. La pelote, c'est la balle.

*the Basque region

Ici, on aime la pétanque: on joue avec des boules en métal.

### 1 Find the French for:

**a** the 24hrs of Le Mans
**b** they love cycling
**c** favourite sports of the French
**d** in the Alps
**e** the favourite sport in the Basque region
**f** they play with metal bowls

### 2 Read and work out:

**a** what takes place in Paris in July.
**b** girls' favourite sport in France.
**c** when and how long the race in Le Mans is.
**d** the difference between pétanque and bowls in Britain.
**e** the total length of the cycle race.
**f** what pelote basque is named after.

*Posté le: 7 mars*

**C'est mon anniversaire le 14 mars. Je n'ai pas d'idée pour une fête! Qu'est-ce que tu aimes faire pour ton anniversaire, toi?**

*Posté le: 7 mars*

Pour mon anniversaire, je fais des jeux et il y a des gâteaux et des bonbons*.

*sweets

*Posté le: 7 mars*

Pour mon anniversaire, moi, j'aime écouter de la musique et danser avec mes copains.

*Posté le: 7 mars*

Pour ma fête d'anniversaire, j'ai des copains chez moi et j'aime jouer à la console et regarder des DVD.

*Posté le: 7 mars*

Pour mon anniversaire, moi, j'aime bien aller au cinéma avec des copains. J'adore les films d'horreur! J'aime aussi manger une pizza et un gâteau!

**1 Explain in English:**

- **a** Liliput's problem
- **b** the ideas suggested on the forum. (8)

**2 Whose party would you prefer to go to? Why?**

***Défi!***

Write your posting in response to Liliput's.

**Lundi matin: Émilie arrive au Collège Pasteur. Elle est nouvelle*.**

*nouvelle = new girl
*après = after*
*l'équipe de basket* = the basketball team

**Imagine: tu es Émilie. Tu acceptes ou tu refuses?**

## Read and answer in English.

**a** Why doesn't Émilie know what lesson is next?
**b** What is the boy's name?
**c** Why is he happy that the next lesson is English?
**d** What will he be doing on Saturday morning?
**e** Why is Émilie not sure what to do at the end?

## What would you do if you were Émilie? Turn the page round and read what she does.

*Émilie hésite, mais elle refuse l'invitation.*

**En France, on est généralement au collège huit heures, de 8 h 30 à 16 h 30. C'est long. La concentration n'est pas toujours facile.**

**12 h – 14 h**
**Attention!**
**Danger!**
**La concentration est difficile.**

**8 h 30 - 9 h 30**
**et 16 h - 16 h 30**
**Il y a des problèmes de concentration.**

**10 h – 11 h**
**et 15 h – 16 h**
**Excellents moments pour la concentration.**
**Tu es attentif/attentive.**

Caro

*À 15 h 45, je suis fatiguée! Je ne me concentre pas bien. Je ne suis pas motivée.*

Fabien

*La technologie dure deux heures. C'est long. Je ne suis pas attentif. Je ne me concentre pas bien. Je préfère la chimie ou l'histoire-géo – le cours passe vite.*

Malika

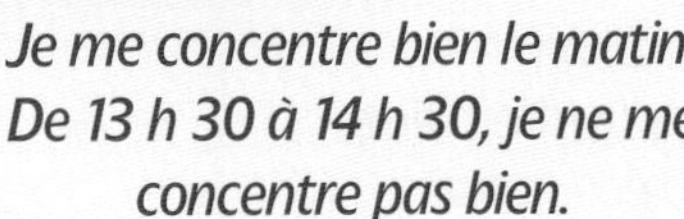

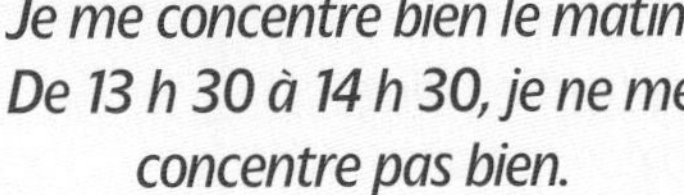

*Je me concentre bien le matin. De 13 h 30 à 14 h 30, je ne me concentre pas bien.*

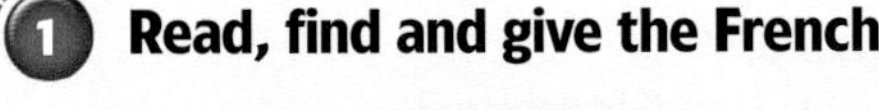

READING **1** **Read, find and give the French:**

- **a** three school subjects
- **b** three adjectives describing how a person feels
- **c** two adjectives describing concentration

Example *a la technologie = technology*

READING **2** **Which of these times is not mentioned in the article?**

- **a** huit heures et demie
- **b** quatre heures moins le quart
- **c** midi moins le quart
- **d** quatre heures

**Défi!**

Write a bubble to say whether or not you think school is cool.

# Lecture La Camargue

A

B

C

D

**a** Je m'appelle Sylvain Giraud. J'ai 14 ans. Ma région, c'est la Camargue, dans le sud-est de la France. J'habite dans une petite ville qui s'appelle les Saintes-Maries-de-la-Mer, dans le sud de la Camargue, au bord de la mer Méditerranée.

**b** Ici, il fait toujours beau! L'été, il fait beau et chaud et l'hiver, il ne fait pas froid. Il y a souvent beaucoup de vent, le 'mistral.'

**c** J'habite dans un *mas*, une vieille maison traditionnelle de la Camargue. Il y a quatre pièces au rez-de-chaussée: une grande pièce (cuisine-salon-salle à manger), deux chambres et une salle de bains avec les toilettes. C'est petit mais confortable.

**d** J'adore la Camargue! C'est très beau ici. C'est un parc naturel et il y a beaucoup d'animaux.

**e** Mon père est *gardian*. C'est un cowboy camarguais! Moi aussi, je vais être gardian un jour.

READING **1** **Read the text. Find and write a sentence for each photo.**

READING **2a** **Match questions 1–5 with paragraphs a–e.**

1 Où est la Camargue?
2 Comment est la maison typique?
3 Il y a quels animaux?
4 Que fait le gardian?
5 Quel temps fait-il en Camargue?

WRITING **2b** **Now answer questions 1–5 in English.**

SPEAKING **3** **What are the three most interesting details in the text for you? Discuss them in English with a partner.**

Nora Sekongo

Nora Sekongo habite dans un village traditionnel dans le sud-ouest du Burkina Faso. Sa famille a six petites maisons rondes (ou *cases*).

La case à droite de l'entrée est la case du chef de famille, le père de Nora. À côté de sa case, il y a la case de sa première femme, puis la case de sa seconde femme, la mère de Nora. Après, c'est la case de la grand-mère. Les filles et les garçons de moins de 10 ans habitent avec la mère ou la grand-mère. Les garçons de plus de 10 ans habitent dans une grande case derrière la case des visiteurs. Entre la case des garçons et les toilettes et les douches, il y a une maison pour les animaux.

Chez Nora, la cuisine et la salle à manger sont à l'extérieur, dans la cour. Il ne pleut pas souvent ici, alors c'est pratique! La case a une petite porte mais pas de fenêtre. Il y a deux pièces: une chambre, avec deux lits, et un salon. Nora aime bien sa case, mais elle n'a pas l'eau et l'électricité!

READING 1 **Read the text. Look at the plan of Nora's home: what are the places numbered 1–8?**

Example *1 = Nora's fathers hut*

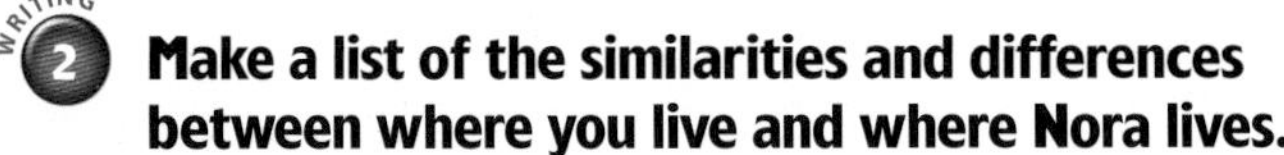

WRITING 2 **Make a list of the similarities and differences between where you live and where Nora lives.**

SPEAKING 3 **Discuss in English.**
What do you think are the good and bad things about Nora's village?

# 5A Lecture Didier Drogba

**Il s'appelle Didier Drogba. Il est footballeur. Il est riche et célèbre.**

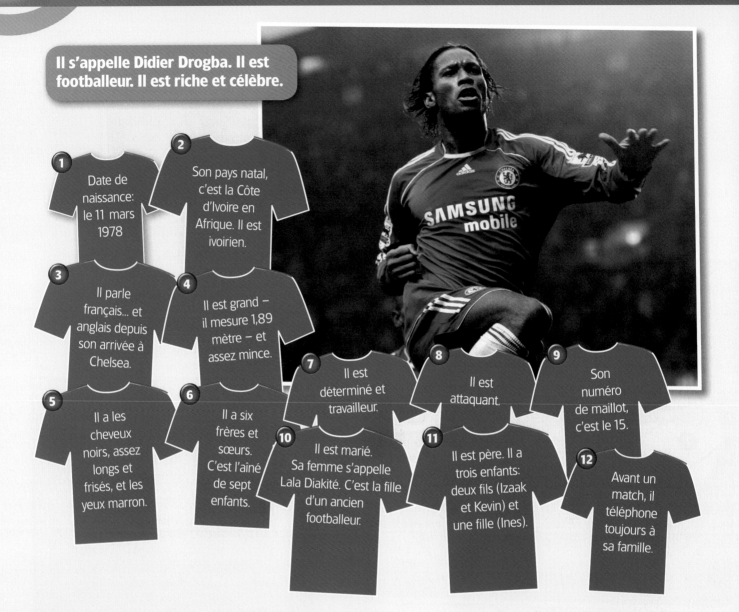

1 Date de naissance: le 11 mars 1978

2 Son pays natal, c'est la Côte d'Ivoire en Afrique. Il est ivoirien.

3 Il parle français… et anglais depuis son arrivée à Chelsea.

4 Il est grand – il mesure 1,89 mètre – et assez mince.

5 Il a les cheveux noirs, assez longs et frisés, et les yeux marron.

6 Il a six frères et sœurs. C'est l'aîné de sept enfants.

7 Il est déterminé et travailleur.

8 Il est attaquant.

9 Son numéro de maillot, c'est le 15.

10 Il est marié. Sa femme s'appelle Lala Diakité. C'est la fille d'un ancien footballeur.

11 Il est père. Il a trois enfants: deux fils (Izaak et Kevin) et une fille (Ines).

12 Avant un match, il téléphone toujours à sa famille.

**Read and find which numbers mention:**

a when he was born
b how many children he has
c what language(s) he speaks
d where he was born
e his character
f how tall he is
g the colour of his hair
h his position on the pitch
i his wife
j how many brothers and sisters he has
k his shirt number

**Copy the three headings. Divide the facts into the three groups.**

| Didier Drogba | Son football | Sa famille |
|---|---|---|
| 1,… | 8,… | 6,… |

**Write in English five facts about Drogba that you didn't know before reading the article.**

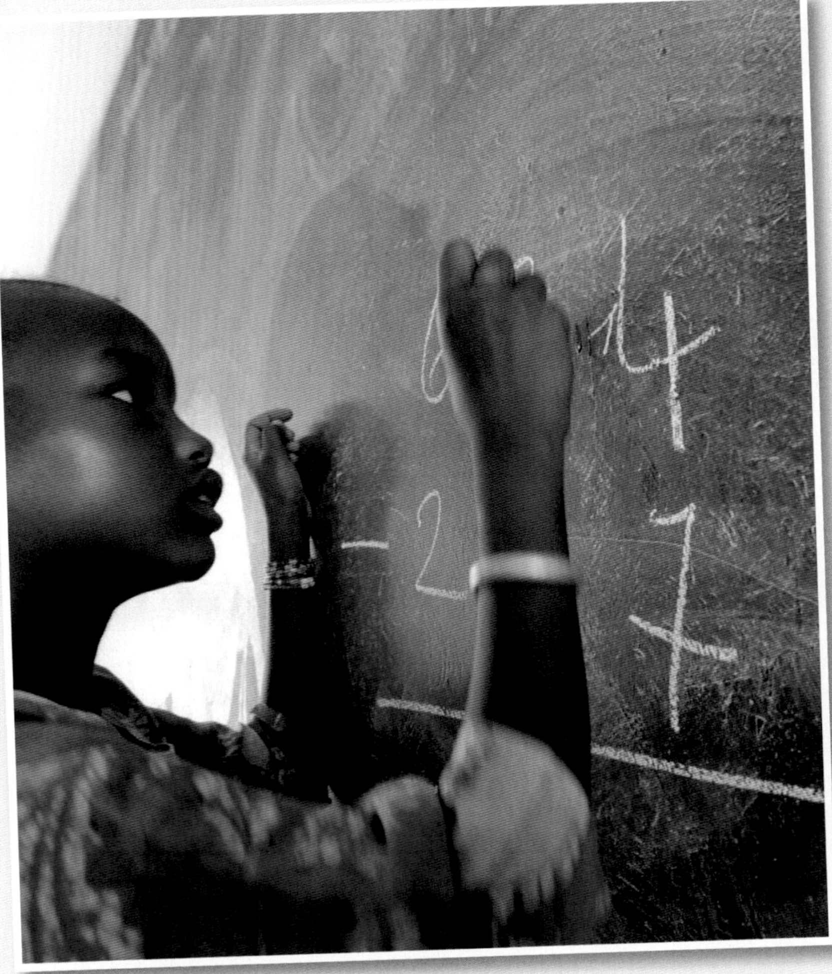

**1**

Nora habite avec sa famille dans un petit village. Elle se réveille à cinq heures du matin. Sa mère est travailleuse et elle lave déjà les plats*. Nora écoute sa mère mais elle ne se lève pas. Il fait froid et elle aime rester un peu au lit.

**2**

Nora se douche et s'habille. Son école n'a pas d'uniforme, mais elle porte toujours les mêmes vêtements* à l'école.

**3**

Nora quitte la maison à six heures. Elle va à l'école avec deux de ses cousines. Elle s'entend bien avec ses cousines: elles sont bavardes et gentilles. Nora aime beaucoup l'école.

**4**

Les filles arrivent à l'école à sept heures. Pour le premier cours, c'est éducation physique dans la cour. Nora est assez sportive et elle aime bien l'EPS.
Entre midi et 15 heures, on se repose*. Il y a du soleil et il fait très chaud. L'école finit à 17 heures et Nora et ses cousines rentrent à la maison.

**READING 1 Read the text. Match headings a–d to paragraphs 1–4.**

- **a** On the way to school
- **b** An early start
- **c** A long day
- **d** Getting ready

**READING 2 Answer in English.**

- **a** What wakes Nora up? Why doesn't she get up straight away?
- **b** What does she do before going to school?
- **c** Why is Nora in a good mood on the way to school?
- **d** What happens at lunchtime?

**WRITING 3 List the differences between your day and Nora's.**

*Example Elle se réveille à cinq heures. Moi, je me réveille à sept heures et demie.*

**lave déjà les plats* = is already washing the dishes
*les mêmes vêtements* = the same clothes
*même* = same
*on se repose* = they have a rest

| | |
|---|---|
| 1 *Tu manges de la viande, du poisson ou des œufs?* | |
| 2 *Tu manges des pâtes, du riz ou des pommes de terre?* | |
| 3 *Tu manges des légumes ou des fruits?* | |
| 4 *Tu manges du fromage, des yaourts ou tu bois du lait?* | *A: De temps en temps ou jamais*<br>*B: Une fois par jour*<br>*C: Plusieurs fois par jour* |
| 5 *Tu manges du pain?* | |
| 6 *Tu manges des gâteaux ou des glaces?* | |
| 7 *Tu bois des boissons sucrées (sodas, jus de fruit)?* | |
| 8 *Tu manges beaucoup de gras (beurre, sauces, chips, frites, etc.)?* | |
| 9 *Qu'est-ce que tu prends le matin?* | *A: Rien ou seulement une boisson*<br>*B: Une boisson et du pain*<br>*C: Un bon petit déjeuner* |
| 10 *Au déjeuner et au dîner, pour le plat principal...* | *A: tu manges moins d'une demi-assiette.*<br>*B: tu finis ton assiette.*<br>*C: tu prends une deuxième assiette.* |
| 11 *À l'école, tu manges...* | *A: un sandwich.*<br>*B: le repas de la cantine.*<br>*C: le repas de la cantine et des sandwiches/ gâteaux/barres chocolatées, etc.* |
| 12 *Tu manges entre les repas?* | *A: Jamais*<br>*B: De temps en temps*<br>*C: Tous les jours* |

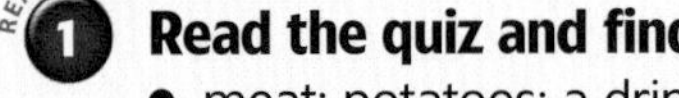

READING

**1 Read the quiz and find:**
- meat; potatoes; a drink; a plate (or a plate full of food)
- to eat a lot of fat
- never; from time to time; once a day; several times a day; every day

SPEAKING

**2 In pairs, do the quiz. (B→A)**
*A reads the questions. B replies.*

**Compte tes points: A = 0 points B = 1 point C = 2 points**

**0–10 points**: *Attention! Il faut manger plus par jour pour avoir de l'énergie!*

**11–16 points**: *C'est parfait!*

**17+ points**: *Tu manges un peu trop*! Il faut faire beaucoup de sport!*

**a little too much*

# Les repas au Burkina Faso

## Lecture

e

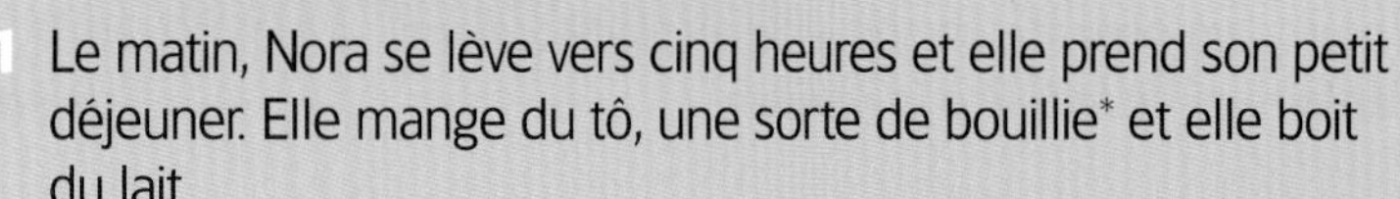

1 Le matin, Nora se lève vers cinq heures et elle prend son petit déjeuner. Elle mange du tô, une sorte de bouillie* et elle boit du lait.

2 Il n'y a pas d'école entre midi et trois heures. Nora ne peut pas rentrer chez elle parce que son village est trop loin. Alors, elle va à la cantine. Elle n'aime pas manger à la cantine parce qu'il y a du couscous tous les jours!

3 Elle rentre à la maison vers dix-sept heures. En général, elle a très faim, alors elle mange des fruits. Il y a beaucoup de fruits sur le bord de la route ou au marché!

4 À la maison, elle prépare le dîner avec sa mère pour toute la famille: du tô, avec des sauces différentes. La cuisine, c'est le travail des filles. Ses frères ne font jamais la cuisine!

5 De temps en temps, pour les fêtes, ils mangent du poulet ou du poisson de la rivière. Nora adore le poisson! Quand ils ont des œufs, ils font des omelettes. Ici, on mange aussi beaucoup de riz, avec des sauces. Son plat préféré, c'est le riz avec une sauce aux légumes.

*a kind of porridge

READING

**1 Match each photo to a paragraph.**

READING

**2 Lots of words look like English. Find the French words in the text for:**

**a** source
**b** dinner
**c** different
**d** omelet
**e** Africa
**f** market

SPEAKING

**3 Discuss in English.**
How much did you know about African food? What have you discovered here? Did anything surprise you?

# Grammaire

## Introduction

Here is a summary of the main points of grammar covered in *Clic! 1*, with some activities to check that you have understood and can use the language accurately.

Where to find information on the rules of grammar:



### *Glossary of terms*

**noun** *un nom* = a person, animal, place or thing
***Lola** regarde **la télé** à **la maison**.*

**determiner** *un déterminant* = a little word before a noun to introduce it
***le** chien, **un** chat, **du** lait, **mon** frère*

**singular** *le singulier* = one of something
***Mon copain** a **un lapin**.*

**plural** *le pluriel* = more than one of something
***Les filles** font du sport.*

**pronoun** *un pronom* = a little word used instead of a noun or name
***Il** a un lapin. **Elles** font du sport.*

**verb** *un verbe* = a "doing" or "being" word
*Je **parle** anglais. Il **est** blond. On **va** à la piscine.*

**tense** *le temps* = tells you *when* an action takes place

**adjective** *un adjectif* = a word which describes a noun
*Ton frère est **sympa**.*
*C'est un appartement **moderne**.*

**preposition** *une préposition* = describes position: where something is
*Mon sac est **sur** mon lit. J'habite **à** Paris.*

# 1 Nouns and determiners
*les noms et les déterminants*

## 1.1 Masculine or feminine?

All French nouns are either masculine or feminine.

| | masculine words | feminine words |
|---|---|---|
| *a* or *an* | un | une |
| *the* | le | la |

For example: ***un** café, **le** collège* = masculine
***une** sœur, **la** chambre* = feminine

Important! Every time you learn a new noun, make sure you know whether it is masculine or feminine.

Don't learn *musique* ✘
Learn *la musique* ✔

**A** ***Un** or **une**? (Check in the glossary, page 144.)*

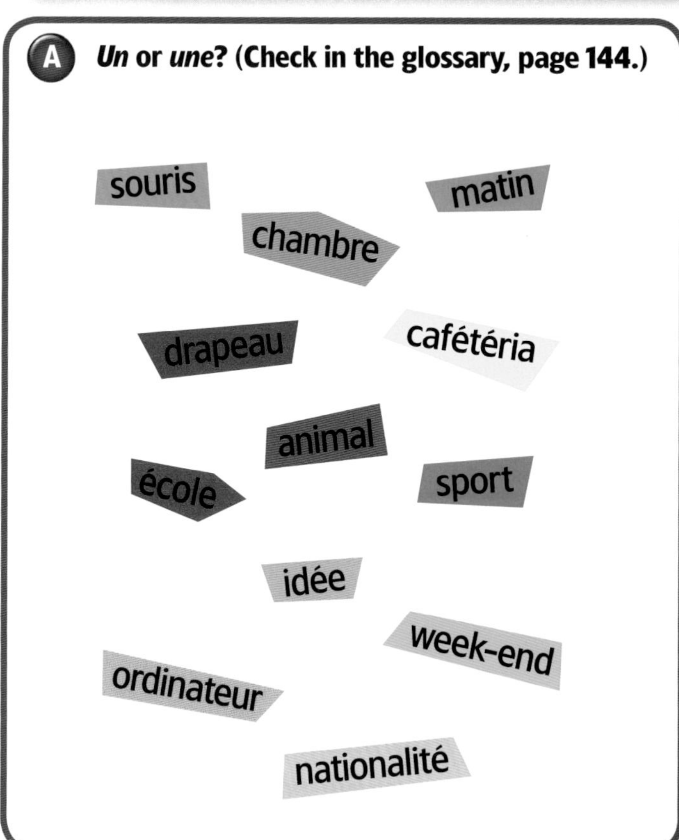

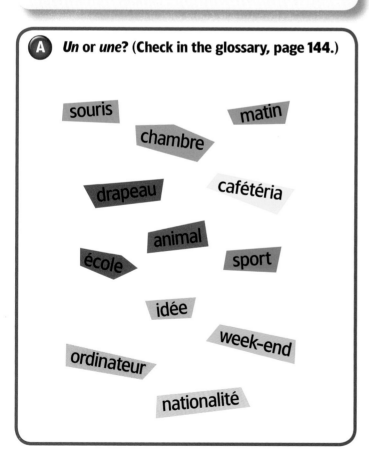

## 1.2 Singular or plural?

Most French nouns add *-s* to make them plural (when talking about more than one), just as in English:

*le frère* → *les frère**s***
*un chat* → *des chat**s***
*mon professeur* → *mes professeur**s***

⚠ In French the ***-s*** at the end of the words is not usually pronounced.

In front of plural nouns, the determiners (words for 'a' and 'the') change:

*un/une* → *des*     *a* → *some*
*le/la* → *les*     *the* → *the*

For example:

*J'ai **un** crayon? J'ai **des** crayons?*
**I have a pen. I have (some) pens.**
***Le** prof est sympa. **Les** profs sont sympa.*
The teacher is friendly. Teachers are friendly.

| | singular | plural |
|---|---|---|
| *to say **a** or **some*** | | |
| masculine words | un | des |
| feminine words | une | des |
| *to say **the*** | | |
| masculine words | le | les |
| feminine words | la | les |

## 1.3 de + noun

| | singular | plural |
|---|---|---|
| masculine words | du (or de l') | des |
| feminine words | de la (or de l') | des |

Use *du, de la, de l'* or *des* to say *some* or *any*.

| | |
|---|---|
| *Je voudrais **du** fromage.* | I'd like **some** cheese. |
| *Elle mange **de la** pizza.* | She is eating **some** pizza. |
| *Il boit **de l'**eau.* | He drinks **some** water. |
| *Tu as **des** questions?* | Have you got **any** questions? |

**B Write out the shopping list.**

## 2 Adjectives

*les adjectifs*

Adjectives are the words we use to describe nouns.

### 2.1 Form of adjectives

In English, whatever you are describing, the adjective stays exactly the same:

an **interesting** film, an **interesting** man,
an **interesting** girl, **interesting** books.

In French, the adjective changes to match the word it is describing. Like the noun, it must be either masculine or feminine, singular or plural.

To show this, there are special adjective endings:

| | singular | plural |
|---|---|---|
| masculine words | petit add nothing | petits add ***-s*** |
| feminine words | petite add ***-e*** | petites add ***-es*** |

For example:

| | |
|---|---|
| *mon père est petit* | *ma mère est petit**e*** |
| *mes frères sont petit**s*** | *mes cousines sont petit**es*** |

Exceptions:

- adjectives ending in *-eur* or *-eux* usually change to *-euse* in the feminine:

  *un frère travailleur* → *une sœur travaill**euse***

  *un frère paresseux* → *une sœur paresseuse*

- adjectives which already end in *-e* don't need to add another one in the feminine (but they do add *-s* when they describe plural words):

  *un frère calme* → *une sœur calme*

  *des enfants calme**s***

### 2.2 Position of adjectives

In English, adjectives always come before the noun they describe:

a **stubborn** brother, a **modern** kitchen.

In French, adjectives usually come after the noun:

*un frère **têtu**, une cuisine **moderne**.*

**C Put the sentences in the right order.**

1. soeur intelligente une
2. un sportif frère
3. timide un animal
4. des intéressantes idées
5. courts j'ai les cheveux
6. a Il les bleus yeux
7. long film C'est un
8. une J'habite moderne maison

Some adjectives break this rule of position.

For example:

| | |
|---|---|
| *grand/grande* | *un **grand** appartement* |
| *petit/petite* | *une **petite** chambre* |
| *beau/belle* | *un **beau** salon* |
| *joli/jolie* | *une **jolie** maison* |

## 3 Possessive adjectives

*les adjectifs possessifs*

### 3.1 Possessive adjectives

Possessive adjectives show who or what something belongs to (*my* bag, *your* CD, *his* brother, etc.).

Like all adjectives, they have to match the noun they describe:

| | singular | | plural |
|---|---|---|---|
| | masculine | feminine | masculine or feminine |
| *my* | mon | ma | mes |
| *your* | ton | ta | tes |
| *his/her* | son | sa | ses |

For example:

***ma** mère* — my mother
***mon** frère* — my brother

 The words for *his* and *her* are the same (either *son*, *sa* or *ses*, depending on the word that follows). For example:

*Natacha adore **son** chien.* — Natacha loves **her** dog.
*Marc adore **son** chien.* — Marc loves **his** dog.

## 4 Prepositions

*les prépositions*

**D** **Where are the pets?**

Example: *L'oiseau est **dans** l'armorie.*

### 4.1 à

- Talking about time
  You use *à* to mean *at* when you talk about times:
  ***J'ai français à quatre heures.***
  I have French **at** four o'clock.
- Talking about place
  You use *à* to say *at*, *in* or *to* a place:
  ***J'habite à Paris.***
  I live **in** Paris.
  *Je vais **à la** piscine.*
  I am going **to the** swimming pool.
  *J'habite **à la** campagne.*
  I live **in the** country.

 With masculine or plural places, *à* combines with *le* or *les* in front of the noun to form a completely new word:

*à + le* → *au*
*à + les* → *aux*

For example:

*Il est **au** cinéma.*
He's **at the** cinema.
*Ma cousine va **aux** États-Unis.*
My cousin is going **to the** United States.

**To say 'to the' or 'at the'**

| masculine | feminine | masculine and feminine |
|---|---|---|
| au | à la | aux |

### 4.2 en

In French, most names of countries are feminine. To say *in* or *to* these countries, use the word *en*:

*Vous allez **en** France?* Are you going **to** France?

*J'habite **en** Angletere.* I live **in** England.

For masculine countries, use *au* instead (or *aux* if the country is plural):

*J'habite **au** Sénégal.*

I live **in** Senegal.

## 5 Pronouns

*les pronoms*

### 5.1 Subject pronouns

The subject of a verb tells you who or what is doing the action.
The French subject pronouns are:

| | | | |
|---|---|---|---|
| I | = | *je* | |
| | | *j'* | in front of a vowel or a silent *h*: ***j'aime/j'habite*** |
| you | = | *tu* | when talking to a child, a friend or a relative |
| | | *vous* | when talking to an adult you are not related to, or more than one person |
| he | = | *il* | for a boy or man |
| she | = | *elle* | for a girl or woman |
| it | = | *il* | if the noun it refers to is masculine |
| | | *elle* | if the noun it refers to is feminine |
| we | = | *nous* | |
| | | *on* | is used more than ***nous*** in conversation. |

Use *on* when speaking or writing to friends.
Use *nous* when writing more "official" texts.

| | | | |
|---|---|---|---|
| they | = | *ils* | for a masculine plural or for a mixed group (masculine + feminine) |
| | | *elles* | for a feminine plural |
| | | *on* | when it means people in general |

- *On*

  *On* can mean *you*, *we*, *they* or *one*.
  It is always followed by the same form of the verb (the form that follows *il* or *elle*):

  *Chez moi, on **parle** arabe.*

  At home we speak Arabic.

  *Au Sénégal, on **parle** français.*

  In *Senegal,* they speak French.

## 6 Verbs

*les verbes*

Verbs describe what is happening. If you can put '*to*' in front of a word or '*-ing*' at the end, it is probably a verb:

listen – to listen ✓ = a verb

try – to try ✓ = verb

desk – to desk ✗ = not a verb

happy – to happy ✗ = not a verb

### 6.1 The infinitive

Infinitives in French are easy to recognise as they normally end with either *-er*, *-re* or *-ir*. For example: ***regarder***, ***prendre***, ***choisir***.

# Grammaire

Find nine infinitives. What do they mean?

Example *sortir* = *to go out*

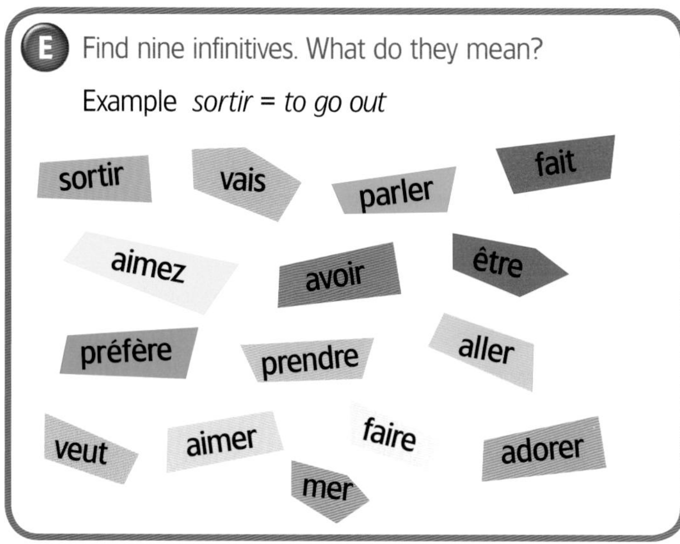


## 6.2 The present tense

A verb in the present tense describes an action taking place now or which takes place regularly.

There are two present tenses in English:

I **am eating** an apple (now).

I **eat** an apple (every day).

There is only one present tense in French:
**Je mange une pomme.**

## 6.3 Present tense verb endings

To describe an action, you need a subject (the person or thing doing the action) and a verb.

The ending of the verb changes according to who the subject is:

You eat/She eats We speak/He speaks

Verb endings change in French too, for the same reason.

**Match the pronouns in the first column with the verbs in the second column.**

| | |
|---|---|
| j' | habites |
| tu | habitent |
| il | habite |
| vous | habite |
| ils | habitez |

(Check the verb endings in 6.4 to help you.)

## 6.4 Regular verbs in the present tense

Most French verbs follow the same pattern. They have regular endings. Typical endings for verbs that end in *-er*, like *aimer*, in the present tense are:

| | | | |
|---|---|---|---|
| j' | aime | nous | aimons |
| tu | aimes | vous | aimez |
| il/elle/on | aime | ils/elles | aiment |

Some other verbs which follow the same pattern are:

| | |
|---|---|
| *adorer* | to love/really like |
| *arriver* | to arrive |
| *écouter* | to listen |
| *habiter* | to live |
| *jouer* | to play |
| *parler* | to speak |
| *regarder* | to watch |

**Copy and complete the verbs.**

1. Qu'est-ce que tu aim*** au collège?
2. Moi, j'ador*** l'EPS.
3. Mon frère habit*** au Sénégal.
4. Mes parents parl*** bien français.
5. Vous regard*** un DVD?
6. Nous détest*** les frites.
7. Vous mang*** des chips tous les jours?
8. Ici ils mang*** des glaces.

## 6.5 Reflexive Verbs

Reflexive verbs need a pronoun between the subject and the verb.

| subject | pronoun | verb | |
|---|---|---|---|
| *Je* | ***me*** | *lève* | (I get myself up) I get up. |
| *Je* | ***m'*** | *habille* | (I dress myself) I get dressed. |

Some common reflexive verbs: *se laver, se brosser les dents, se réveiller, s'amuser, s'ennuyer, se coucher, se reposer*

## 6.6 Irregular verbs in the present tense

Some verbs do not follow a regular pattern. They are irregular verbs. Learn them by heart.

| Infinitive | Present tense | English |
|---|---|---|
| avoir (to have) | j'ai | I have |
| | tu as | you have (to a friend, child or relative) |
| | il/elle a | he/she/it has |
| | on a | we/they have |
| | nous avons | we have |
| | vous avez | you have (to an adult or group of people) |
| | ils/elles ont | they have |
| être (to be) | je suis | I am |
| | tu es | you are (to a friend, child or relative) |
| | il/elle est | he/she/it is |
| | on est | we/they are |
| | nous sommes | we are |
| | vous êtes | you are (to an adult or group of people) |
| | ils/elles sont | they are |
| aller (to go) | je vais | I go |
| | tu vas | you go (to a friend, child or relative) |
| | il/elle va | he/she/it goes |
| | on va | we/they go |
| | nous allons | we go |
| | vous allez | you go (to an adult or group of people) |
| | ils/elles vont | they go |
| faire (to do/make) | je fais | I make/do |
| | tu fais | you make/do (to a friend, child or relative) |
| | il/elle fait | he/she/it makes/does |
| | on fait | we/they make/do |
| | nous faisons | we make/do |
| | vous faites | you make/do (to an adult or group of people) |
| | ils/elles font | they make/do |
| boire (to drink) | je bois | I drink |
| | tu bois | you drink (to a friend, child or relative) |
| | il/elle boit | he/she/it drinks |
| | on boit | we/they drink |
| | nous buvons | we drink |
| | vous buvez | you drink (to an adult or group of people) |
| | ils/elles boivent | they drink |

| Infinitive | Present tense | English |
| --- | --- | --- |
| manger (to eat) | je mange | I eat |
| | tu manges | you eat (to a friend, child or relative) |
| | il/elle mange | he/she/it eats |
| | on mange | we/they eat |
| | nous mangeons | we eat |
| | vous mangez | you eat (to an adult or group of people) |
| | ils/elles mangent | they eat |
| prendre (to take) | je prends | I take |
| | tu prends | you take (to a friend, child or relative) |
| | il/elle prend | he/she/it takes |
| | on prend | we/they take |
| | nous prenons | we take |
| | vous prenez | you take (to an adult or group of people) |
| | ils/elles prennent | they take |
| vouloir (to want) | je veux | I want |
| | tu veux | you want (to a friend, child or relative) |
| | il/elle veut | he/she/it wants |
| | on veut | we/they want |
| | nous voulons | we want |
| | vous voulez | you want (to an adult or group of people) |
| | ils/elles veulent | they want |
| voir (to see) | je vois | I see |
| | tu vois | you see (to a friend, child or relative) |
| | il/elle voit | he/she/it sees |
| | nous voyons | we see |
| | vous voyez | you see (to an adult or group of people) |
| | ils/elles voient | they see |
| venir (to come) | je viens | I come |
| | tu viens | you come (to a friend, child or relative) |
| | il/elle vient | he/she/it comes |
| | nous venons | we come |
| | vous venez | you come (to an adult or group of people) |
| | ils/elles viennent | they come |

# Grammaire

### 6.7 The perfect tense

A verb in the perfect tense (***passé composé***) describes an action which happened in the past. There are several ways to translate the ***passé composé*** in English:

***J'ai regardé*** *la télé.*

**I watched** TV *or* **I have watched** TV.

For the ***passé composé***, you need two parts: the present tense of ***avoir*** or ***être*** + the past participle of the main verb.

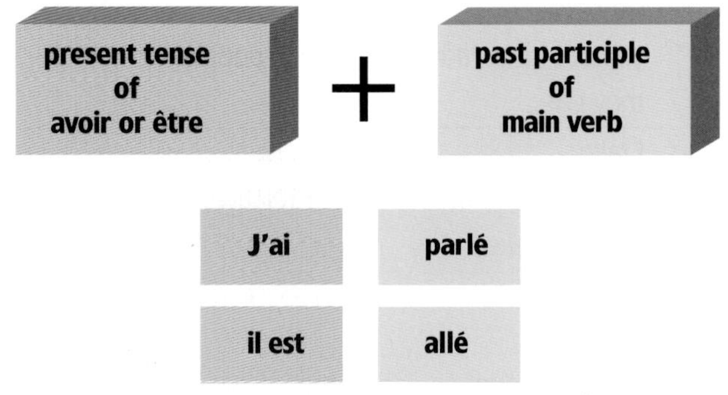


### 6.8 Talking about the future

***Je vais manger*** *un croissant.*

**I am going to eat** a croissant.

***On va regarder*** la télé.

**We are going to watch** TV.

**H** **Complete the sentences with the correct form of aller and translate them in to English.**

1. Je *** surfer sur Internet.
2. On *** manger une pizza.
3. Yasmina *** jouer sur l'ordinateur.
4. Tu *** prendre le petit déjeuner?
5. Alex *** se lever à sept heures.

### 6.9 Verb + infinitive

There are other times when we have two verbs next to each other in a sentence:

I **like going** to the cinema.

In French, the form of the first verb depends on the subject, and the second verb is the infinitive:

| | |
|---|---|
| ***J'aime aller*** *au cinéma.* | I like going to the cinema. |
| ***Tu aimes aller*** *au cinéma, toi?* | Do *you* like going to the cinema? |

**I** **Tell your partner what Toto likes doing (using *aimer* + infinitive).**

Example *Il aime rester au lit.*

## 7 Negatives

*la négation*

In English, the negative form uses the word ***not*** or a form ending in ***-n't*** (***don't, hasn't***).

In French, use ***ne ... pas*** around the verb (***ne*** = ***n'*** in front of a vowel or a silent ***h***):

| | |
|---|---|
| *Je suis anglais.* | *Je **ne** suis **pas** français.* |
| I'm English. | I'm **not** French. |
| *J'ai 13 ans.* | *Je **n'**ai **pas** 12 ans.* |
| I'm 13. | I'm **not** 12. |
| *Je vais à la plage.* | *Je **ne** vais **pas** à la piscine.* |
| I'm going to the beach. | I'm **not** going to the pool. |

### 7.1 ne ... pas + de

If a phrase with ***du, de la, de l'*** or ***des*** is used in the negative (with ***ne ... pas***), use ***de***, or ***d'*** (in front of a vowel or a silent ***h***), instead.

*Je fais **du** sport. Je **ne** fais **pas de** sport.*

I do sport. I don't do sport.

*Je fais **de la** natation. Je **ne** fais **pas de** natation.*

I go swimming. I don't go swimming.

The *de/d'* also replaces *un/une* and *des* to say there isn't or you don't have something:

- *Il y a **un** crayon?*
  *Il **n'**y a **pas de** crayon.*
- *Tu manges **de la** pizza?*
  *Je **ne** mange **pas de** pizza.*
- *Tu as **un** animal?*
  *Je **n'**ai **pas d'**animal.*

**J Write sentences saying the opposite.**

Example *J'aime les maths.* → *Moi, je n'aime pas les maths.*

1. Je mange du chocolat.
2. Il a un frère.
3. On fait du sport.
4. Il y a du lait dans le frigo.
5. Yasmina porte des lunettes.
6. J'ai un crayon.

## 8 Asking questions

You can ask questions...

- By making your voice go up at the end:

| | |
|---|---|
| *Tu aimes le chocolat.* | *Tu aimes le chocolat?* |
| You like chocolate. | Do you like chocolate? |
| *Elle fait un sandwich.* | *Elle fait un sandwich?* |
| She is making a sandwich. | Is she making a sandwich? |

- By using question words:

– **comment**

| | |
|---|---|
| *Tu t'appelles comment?* | What's your name? |
| *Tu es comment?* | What do you look like? |

– **où**

| | |
|---|---|
| *Tu habites où?* | Where do you live? |
| *Tu vas où?* | Where are you going? |

– **quand**

| | |
|---|---|
| *C'est quand, ton anniversaire?* | When is your birthday? |
| *Tu vas quand au cinéma?* | When are you going to the cinema? |

– **qu'est-ce que**

| | |
|---|---|
| *Qu'est-ce que c'est?* | What is it? |
| *Qu'est-ce que tu as dans ton sac?* | What do you have in your bag? |
| *Qu'est-ce que tu veux?* | What do you want? |

– **qui**

| | |
|---|---|
| *C'est qui?* | Who is it? |

– **quel/quelle**

| | |
|---|---|
| *Quel temps il fait?* | What's the weather like? |
| *Il est quelle heure?* | What time is it? |
| *Quel est ton sport préféré?* | What's your favourite sport? |

– **combien**

| | |
|---|---|
| *C'est combien?* | How much is it? |
| *Il y a combien de personnes?* | How many people are there? |

**K What is the question for each of these answers?**

1. Je m'appelle Yasmina.
2. Mon anniversaire, c'est le premier mai.
3. J'ai treize ans.
4. Oui, j'aime le français, c'est super.
5. Il fait froid et il pleut.
6. Il y a vingt-cinq personnes dans ma classe.
7. C'est mon cousin.
8. Je me réveille à sept heures.

a Quel temps fait-il?
b Tu te réveilles à quelle heure?
c Tu t'appelles comment?
d Tu as quel âge?
e Il y a combien de personnes dans ta classe?
f C'est qui?
g C'est quand, ton anniversaire?
h Tu aimes le français?

# Answers to grammar activities

**A** un: drapeau, animal, matin, sport, ordinateur, week-end

une: souris, chambre, cafétéria, école, idée, nationalité

**B** du poisson, des barres de céréales, des légumes, de l'eau, des chips, du jus de fruit, du soda

**C** **1** une sœur intelligente, **2** un frère sportif, **3** un animal timide, **4** des idées intéressantes, **5** J'ai les cheveux courts. **6** Il a les yeux gris. **7** C'est un film long. **8** J'habite une maison moderne.

**D** Possible answers:

Le chat est sur le lit/devant le poster.

Le chien est sous le bureau.

Le serpent est dans la commode.

La souris est sur l'étagère.

Le poisson est sur la télévision.

L'oiseau est devant la télévision.

Le lapin est entre le poisson et la lampe.

Le cheval est derrière la fenêtre.

**E** *sortir* – to go out, *parler* – to speak, *avoir* – to have, *être* –to be, *prendre* – to take, *aller* – to go, *aimer* – to like, *faire* – to do/make, *adorer* – to love

**F** j'habite, tu habites, il habite, vous habitez, ils habitent

**G** **1** aimes, **2** adore, **3** habite, **4** parlent, **5** regardez, **6** détestons, **7** mangez, **8** mangent

**H** **1** vais: I'm going to surf the Internet. **2** va: We are going to eat a pizza. **3** va: Yasmina is going to play on the computer. **4** vas: Are you going to have breakfast? **5** va: Alex going to get up at 7 o'clock.

**I** Il aime rester au lit. Il aime écouter des CD. Il aime jouer sur l'ordinateur. Il aime faire du sport. Il aime manger de la glace. Il aime regarder la télé.

**J** **1** Je ne mange pas de chocolat. **2** Il n'a pas de frère. **3** On ne fait pas de sport. **4** Il n'y a pas de lait dans le frigo. **5** Yasmina ne porte pas de lunettes. **6** Je n'ai pas de crayon.

**K** **1** Tu t'appelles comment? **2** C'est quand, ton anniversaire? **3** Tu as quel âge? **4** Tu aimes le français? **5** Quel temps fait-il? **6** Il y a combien de personnes dans ta classe? **7** C'est qui? **8** Tu te réveilles à quelle heure?

# Expressions utiles

## Days *les jours de la semaine*

| | |
|---|---|
| Monday | *lundi* |
| Tuesday | *mardi* |
| Wednesday | *mercredi* |
| Thursday | *jeudi* |
| Friday | *vendredi* |
| Saturday | *samedi* |
| Sunday | *dimanche* |

## Months *les mois*

| | |
|---|---|
| January | *janvier* |
| February | *février* |
| March | *mars* |
| April | *avril* |
| May | *mai* |
| June | *juin* |
| July | *juillet* |
| August | *août* |
| September | *septembre* |
| October | *octobre* |
| November | *novembre* |
| December | *décembre* |

## Quantities *les quantités*

| | |
|---|---|
| un peu | *a little, a bit* |
| *assez* | *enough* |
| *beaucoup* | *a lot* |
| *trop* | *too much* |

See grammar section 1.3 for how to say *some* and *any*.

## Connectives *(linking words)*

| | |
|---|---|
| also | *aussi* |
| and | *et* |
| because | *parce que/parce qu'* |
| but | *mais* |
| or | *ou* |

## Time *l'heure*

| | |
|---|---|
| What time is it? | *Il est quelle heure?* |
| It's one o'clock | *Il est une heure* |
| What time is it at? | *C'est à quelle heure?* |
| It's at one o'clock | *C'est à une heure.* |

## Numbers

| | | | |
|---|---|---|---|
| **0** | zéro | **40** | quarante |
| **1** | un | **50** | cinquante |
| **2** | deux | **60** | soixante |
| **3** | trois | **70** | soixante-dix |
| **4** | quatre | **71** | soixante et onze |
| **5** | cinq | **72** | soixante-douze |
| **6** | six | **73** | soixante-treize |
| **7** | sept | **74** | soixante-quatorze |
| **8** | huit | **75** | soixante-quinze |
| **9** | neuf | **76** | soixante-seize |
| **10** | dix | **77** | soixante-dix-sept |
| **11** | onze | **78** | soixante-dix-huit |
| **12** | douze | **79** | soixante-dix-neuf |
| **13** | treize | **80** | quatre-vingts |
| **14** | quatorze | **81** | quatre-vingt-un |
| **15** | quinze | **82** | quatre-vingt-deux, ... |
| **16** | seize | **90** | quatre-vingt-dix |
| **17** | dix-sept | **91** | quatre-vingt-onze, ... |
| **18** | dix-huit | **100** | cent |
| **19** | dix-neuf | | |
| **20** | vingt | | |
| **21** | vingt et un | | |
| **22** | vingt-deux | | |
| **23** | vingt-trois | | |
| **24** | vingt-quatre | | |
| **25** | vingt-cinq | | |
| **26** | vingt-six | | |
| **27** | vingt-sept | | |
| **28** | vingt-huit | | |
| **29** | vingt-neuf | | |
| **30** | trente | | |

# Glossaire

il/elle/on **a** he/she has, we have
**à** at, in, to
une **abeille** *nf* a bee
d' **abord** first
**acheter** *v* to buy
d' **accord** OK
un **acteur** *nm* an actor (male)
une **activité** *nf* an activity
une **actrice** *nf* an actress
**additionner** *v* to add up
un **adjectif** *nm* an adjective
un **adolescent** *nm* a teenager
**adorer** *v* to love
une **adresse** *nf* an address
s' **adresser** *v* to apply
un **adulte** *nm* an adult
un **aéroport** *nm* an airport
des **affaires** *nf pl* things, belongings
une **affiche** *nf* a poster
**afficher** *v* to stick up
l' **Afrique** *nf* Africa
l' **âge** *nm* age
un **agent de police** *nm* a police officer
**agréable** *adj* pleasant
j' **ai** I have
**aider** *v* to help
**aimer** *v* to like, to love
une **aire de jeux** *nf* a children's playground
**ajouter** *v* to add
l' **Algérie** *nf* Algeria
**algérien/algérienne** *adj* Algerian
un **aliment** *nm* a foodstuff
l' **Allemagne** *nf* Germany
**allemand/allemande** *adj* German
**aller** *v* to go
vous **allez** you go
**allô** hello (over the phone)
nous **allons** we go
**alors** so, then
**américain/ américaine** *adj* American
**amener** *v* to take
un **ami** *nm* a friend (male)
une **amie** *nf* a friend (female)
l' **amitié** *nf* friendship
**amitiés** best wishes (in a letter)
**amusant/amusante** *adj* funny, amusing
un **an** *nm* a year
l' **ananas** *nm* pineapple
**ancien/ancienne** *adj* old
**anglais/anglaise** *adj* English
l' **Angleterre** *nf* England
un **animal** *nm* animal
une **année** *nf* a year
un **anniversaire** *nm* a birthday
une **annonce** *nf* an advert
**août** August
un mot **apparenté** *nm* a cognate
un **appartement** *nm* a flat
s' **appeler** *v* to be called
je m' **appelle ...** my name is ...
tu t' **appelles ...** your name is ...
il/elle **s'appelle** his/her name is...
**apprendre** *v* to learn
**approprié/appropriée** *adj* appropriate
**après** after
l' **après-midi** *nm* the afternoon
l' **arabe** *nm* Arabic
l' **argent** *nm* money
une **armoire** *nf* a wardrobe
**arrêter** *v* to stop
l' **arrivée** *nf* finish line
**arriver** *v* to arrive
tu **as** you have
**assez** rather, enough
l' **athlétisme** *nm* athletics
**attendre** *v* to wait
**aucun/aucune** *adj* no, none
**aujourd'hui** today
**auprès de** according to
**aussi** too
l' **Australie** *nf* Australia
l' **automne** *nm* autumn
un **automobiliste** *nm* a driver
l' **autre** *nm* other
d' **avance** in advance
**avancer** *v* to go forward
**avant** before
**avec** with
vous **avez** you have
un **avis** *nm* an opinion
**avoir** *v* to have
nous **avons** we have
**avril** April

le **baby-foot** *nm* table football
une **baguette** *nf* a French loaf
un **bain** *nm* a bath
**baisser** *v* to lower
le **balcon** *nm* balcony
un **ballon de foot** *nm* a football
une **banane** *nf* banana
une **bande dessinée** *nf* a cartoon
la **banlieue** *nf* the suburbs
en **banlieue parisienne** in the Paris suburbs
un **barbecue** *nm* a barbecue
un **bateau** *nm* a boat
un **bâton de colle** *nm* a glue-stick
**bavard/bavarde** *adj* talkative
**beau/belle** *adj* beautiful
un **beau-père** *nm* a step-father
**beaucoup** a lot
un **bébé** *nm* a baby
**belge** *adj* Belgian
la **Belgique** *nf* Belgium
**belle** *adj* beautiful
une **belle-mère** *nf* a step-mother
**bête** *adj* silly
**beurk!** yuck!
le **beurre** *nm* butter
**beurrer** *v* to butter
une **bibliothèque** *nf* a library
**bien** well, good
**bientôt** soon
**bienvenue** welcome
la **biographie** *nf* biography
la **biologie** *nf* biology
un **biscuit** *nm* a biscuit
**blanc/blanche** *adj* white
un **blanc** *nm* a gap
**bleu/bleue** *adj* blue
**blond/blonde** *adj* blond
une **blouse** *nf* an overall
du **bœuf** *nm* beef
**bof!** so so, dunno!
**boire** *v* to drink
une **boisson** *nf* a drink
une **boîte** *nf* a box, a tin
un **bol** *nm* a bowl
**bon/bonne** *adj* good
**Bon anniversaire!** Happy birthday!
**Bon appétit!** Enjoy your meal!
un **bonbon** *nm* a sweet
**bonjour** hello
**bonne** *adj* good
une **boum** *nf* a party
un **bout** *nm* a bit, an end
une **bouteille** *nf* a bottle
**Bravo!** Well done!
le **bricolage** *nm* DIY
**briller** *v* to shine
**brosser** *v* to brush
le **brouillard** *nm* fog
un **brouillon** *nm* a rough copy
**au brouillon** in rough
un **bruit** *nm* a noise
**brun/brune** *adj* dark-haired
une **bûche de Noël** *nf* a Christmas log
une **bulle** *nf* a bubble
un **bureau** *nm* a desk, an office
le **bus** *nm* bus
le **but** *nm* the goal, the aim

**c', ce** it, that

**ça** it, that
**Ça va?** How are you?
**Ça va.** I'm fine.
**cacher** *v* to hide
un **cadeau** *nm* a present
un **café** *nm* a coffee, a café
un **café-tabac** *nm* a café (which also sells stamps)
une **cafétéria** *nf* a cafeteria
un **cahier** *nm* an exercise book
une **caisse** *nf* a cashdesk, a till
une **caissière** *nf* a cashier
une **calculatrice** *nf* a calculator
**calme** *adj* calm
un/une **camarade** *nm/nf* a school friend
la **campagne** *nf* the countryside
un **camping** *nm* a campsite
le **Canada** *nm* Canada
**canadien/canadienne** *adj* Canadian
un **canari** *nm* canary
la **cantine** *nf* the canteen
le **capitaine** *nm* captain
la **capitale** *nf* the capital
un **car** *nm* a coach
le **caractère** *nm* character
un **carnaval** *nm* a carnival
les **Carambars** *nm pl* French sweets
une **carotte** *nf* a carrot
un **cartable** *nm* a schoolbag
une **carte** *nf* a map, a card
**une carte d'identité** *nf* an identity card
le **carton** *nm* cardboard
une **case** *nf* a square (on a game board), a hut
un **casse-pieds** *nm* a nuisance
un **casse-tête** *nm* a brain-teaser
**casser** *v* to break
une **cave** *nf* a cellar
un **CD** *nm* a CD
**ce, cet, cette** this
**célèbre** *adj* famous
**cent** hundred
un **centime** *nm* a euro cent (unit of currency)
le **centre** *nm* the centre
**un centre commercial** *nm* an indoor shopping centre
**un centre sportif** *nm* a sports centre
**le centre-ville** *nm* the town centre
les **céréales** *nf pl* cereals
un **cerf-volant** *nm* a kite
une **cerise** *nf* cherry
**certainement** certainly
**ces** these
**c'est** it's
**C'est tout?** Is that all?
**ce n'est pas** it isn't
**cet** this
**c'était** it was
**cette** this
**chacun** each
une **chaise** *nf* a chair
une **chambre** *nf* a bedroom
un **champ** *nm* a field
la **Chandeleur** *nf* Candlemas (festival)
une **chanson** *nf* a song
**chanter** *v* to sing
une **chanteuse** *nf* a female singer
**chaque** each
**charmant/charmante** *adj* charming
un **chat** *nm* a cat
un **château** *nm* a castle
**chaud/chaude** *adj* hot
**chauffé/chauffée** *adj* heated
un **chemin** *nm* a path, a way
une **chemise** *nf* a shirt
**cher/chère** *adj* expensive, dear
**chercher** *v* to look for
**chéri** darling
un **cheval** *nm* a horse
les **cheveux** *nm* hair
**chez (Juliette)** at (Juliette's)
un **chien** *nm* a dog
un **chiffre** *nm* a number
la **chimie** *nf* chemistry
un/une **chimiste** *nm/nf* a chemist
la **Chine** *nf* China
**chinois/chinoise** *adj* Chinese
les **chips** *nf pl* crisps
le **chocolat** *nm* chocolate
les **chocos** *nm pl* chocolate biscuits
**choisir** *v* to choose
une **chose** *nf* a thing
un **chou** *nm* a cabbage
une **chouette** *nf* an owl
**chouette!** great!
un **chou-fleur** *nm* a cauliflower
une **cicatrice** *nf* a scar
le **ciel** *nm* the sky
le **cinéma** *nm* the cinema
**cinq** five
**cinquante** fifty
les **ciseaux** *nm pl* scissors
un **citron** *nm* a lemon
une **classe** *nf* a form, a class
un **classeur** *nm* a folder
une **clé USB** *nf* a USB stick
le **climat** *nm* climate
le **club des jeunes** *nm* youth club
un **coca** *nm* a coca cola
**cocher** *v* to tick
un **cochon d'Inde** *nm* a guinea pig
un **cœur** *nm* a heart
la **coiffure** *nf* hairstyle, hair
un **coin** *nm* a corner
la **colle** *nf* glue
**coller** *v* to stick
le **collège** *nm* high school
**coloré/colorée** *adj* colourful
**combien** how much, how many
un **comédien** *nm* an actor (male)
une **comédienne** *nf* an actress
une **commande** *nf* an order
**comme** as, like
**commencer** *v* to start
**comment** how
une **commode** *nf* a chest of drawers
**comparer** *v* to compare
**compléter** *v* to complete
**comprendre** *v* to understand
**compter** *v* to count
un **concombre** *nm* a cucumber
un **concours** *nm* a competition
la **confiture** *nf* jam
**confortable** *adj* comfortable
**connaître** *v* to know
un **conseil** *nm* a piece of advice
les **conserves** *nf pl* tinned food
une **console** *nf* a games console
une **consonne** *nf* a consonant
**content/contente** *adj* happy
**continuer** *v* to continue
le **contraire** *nm* the opposite
**contre** against
un **copain** *nm* a (boy)friend
une **copine** *nf* a (girl)friend
le **corps** *nm* the body
un/une **correspondant/correspondante** *nm/nf* a penpal
**correspondre** *v* to correspond with, write to
**corriger** *v* to correct
à **côté de** beside
la **couleur** *nf* the colour
un **couplet** *nm* a verse
une **cour** *nf* a courtyard, playground
**courageux/courageuse** *adj* brave
un **coureur** *nm* a runner
une **couronne** *nf* a crown
le **courrier** *nm* the mail
un **cours** *nm* a lesson
la **course** *nf* the race (track)
les **courses** *nf pl* the shopping
**court/courte** *adj* short
le **couscous** *nm* couscous
un **cousin** *nm* a cousin (male)
une **cousine** *nf* a cousin (female)
un **coussin** *nm* a cushion
**coûter** *v* to cost
un **crayon** *nm* a pencil
**créer** *v* to create
la **crème** *nf* cream

# Glossaire

le **créole** *nm* a language formed by a mix of French with local dialects
une **crêpe** *nf* a pancake
une **crêperie** *nf* a pancake restaurant
un **crocodile** *nm* a crocodile
un **croque-monsieur** *nm* a toasted ham and cheese sandwich
la **cuisine** *nf* the kitchen, cooking
**curieux/curieuse** *adj* curious

**d'abord** first
**d'accord** OK
**dangereux/dangereuse** *adj* dangerous
**dans** in
la **danse** *nf* dance
**danser** *v* to dance
la **date** *nf* the date (fruit)
une **datte** *nf* a date
**de** from, of
un **dé** *nm* a die
**debout** standing up
**décembre** December
**déclarer** *v* to declare
**décorer** *v* to decorate
**découper** *v* to cut out
**découvrir** *v* to discover
**décrire** *v* to describe
un **défaut** *nm* a fault
la **défense** *nf* defence
**déjà** already
le **déjeuner** *nm* lunch
**délicieux/délicieuse** *adj* delicious
**demain** tomorrow
**demander** *v* to ask
un **demi** *nm* half
un **demi-frère** *nm* a half-brother, a step-brother
une **demi-sœur** *nf* a half-sister, a step-sister
un/une **dentiste** *nm/nf* a dentist
les **dents** *nf pl* teeth
le **départ** *nm* the start
un **département français** *nm* a French 'county'
un **dépliant** *nm* a leaflet
**depuis** since
**dernier/dernière** *adj* last
**derrière** behind
**désiré/désirée** *adj* desired
**désirer** *v* to wish for, desire
**désolé/désolée** *adj* sorry
le **désordre** *nm* mess
un **dessert** *nm* a dessert
le **dessin** *nm* art
un **dessin** *nm* a drawing
**dessiner** *v* to draw
**détester** *v* to hate
**deux** two
**le deux mars** the second of March
**deuxième** *adj* second
**devant** in front of
**deviner** *v* to guess
les **devoirs** *nm pl* homework
un **dictionnaire** *nm* a dictionary
**difficile** *adj* difficult
**dimanche** Sunday
une **dinde** *nf* a turkey
le **dîner** *nm* dinner
**dire** *v* to say
**discuter** *v* to discuss
**divorcé/divorcée** *adj* divorced
**dix** ten
le **docteur** *nm* doctor
le **doigt** *nm* finger
le **domicile** *nm* home
**donner** *v* to give
**dormir** *v* to sleep
une **douche** *nf* a shower
se **doucher** *v* to have a shower
**douze** twelve
à **droite de** on the right of
le **drapeau** *nm* flag
**drôle** *adj* funny
**dur/dure** *adj* hard
**dynamique** *adj* dynamic

l' **eau** *nf* water
**l'eau minérale** *nf* mineral water
un **échange** *nm* an exchange
**échanger** *v* to swap
les **échecs** *nm pl* chess
une **école** *nf* a school
**l'école maternelle** *nf* nursery school
**l'école primaire** *nf* primary school
**écossais/écossaise** *adj* Scottish
l' **Écosse** *nf* Scotland
**écouter** *v* to listen
**écrire** *v* to write
l' **écriture** *nf* (hand)writing
une **église** *nf* a church
**égoïste** *adj* selfish
**électrique** *adj* electric
un **éléphant** *nm* an elephant
un/une **élève** *nm/nf* a pupil
**elle** she, it
un **e-mail** *nm* an email
**Je t' embrasse** With love (to end a letter)
une **émission** *nf* a programme
l' **empereur** *nm* emperor
un **emploi** *nm* a job
un **emploi du temps** *nm* a timetable
**emprunter** *v* to borrow
**en** in
**encore** again, more
un **endroit** *nm* a place
un **enfant** *nm* a child
**enfin** at last
l' **ennui** *nm* boredom
**énorme** *adj* enormous
une **enquête** *nf* a survey
**enregistrer** *v* to record
**ensuite** then
**entendre** *v* to hear
s' **entendre bien/mal** *v* to get on well/not well with s.o.
**entêté/entêtée** *adj* stubborn
**entre** between
une **entrée** *nf* a starter, a hallway
**j'ai envie de** I feel like
**environ** about, approximately
**épeler** *v* to spell
un **épicier** *nm* a grocer
les **épinards** *nm pl* spinach
l' **EPS = l' éducation physique et sportive** *nf* PE/games
une **équipe** *nf* a team
**bien équipé** well equipped
l' **équitation** *nf* horse riding
une **erreur** *nf* a mistake
l' **escalade** *nf* mountain climbing
l' **espace** *nm* space
l' **Espagne** *nf* Spain
**espagnol/espagnole** *adj* Spanish
l' **espagnol** *nm* Spanish
tu **es** you are
un **escargot** *nm* snail
il/elle/on **est** he/she is, we are
l' **est** *nm* the east
**et** and
**Et toi?** How about you?
un **étage** *nm* a storey, a floor
une **étagère** *nf* a shelf
il **était** he/it was
les **États-Unis** *nm pl* the United States
l' **été** *nm* summer
vous **êtes** you are
**étranger/étrangère** *adj* foreign
**être** *v* to be
les **études** *nf pl* studies
un **étudiant** *nm* a student (male)
une **étudiante** *nf* a student (female)
**euh** erm (used for hesitation)
un **euro** *nm* a euro (unit of currency)
l' **Europe** *nf* Europe
**excusez-moi** excuse me
un **exemple** *nm* an example

exister *v* to exist
une **explication** *nf* an explanation
**expliquer** *v* to explain
une **expression-clé** *nf* a key expression
un **extrait** *nm* an extract
**extraordinaire** *adj* extraordinary

**fabriquer** *v* to make
en **face de** opposite
**facile** *adj* easy
la **faim** *nf* hunger
**j'ai faim** I'm hungry
**faire** *v* to make, to do
je/tu **fais** I/you make, do
nous **faisons** we make, do
il/elle/on **fait** he/she makes/does, we make/do
vous **faites** you make, do
**familial/familiale** *adj* family
une **famille** *nf* a family
un/une **fan** *nm/nf* a fan
un **fantôme** *nm* a ghost
la **farine** *nf* flour
le **fast-food** *nm* fast food restaurant
**fatigant/fatigante** *adj* tiring
il **faut** you have to, you ought to
**faux/fausse** *adj* false, wrong
**favori/favorite** *adj* favourite
**féminin/féminine** *adj* feminine
une **fenêtre** *nf* a window
une **ferme** *nf* a farm
**fermé/fermée** *adj* shut, closed
**fermer** *v* to close
une **fête** *nf* a party, a festival
**fêter** *v* to celebrate
une **feuille** *nf* a sheet of paper, a leaf
un **feutre** *nm* a felt-tip pen
les **feux** *nm pl* traffic lights
une **fève** *nf* a bean, a charm
**février** February
une **fiche** *nf* a form
**fidèle** *adj* faithful
un **filet** *nm* a net
une **fille** *nf* a girl, a daughter
**fille unique** *nf* an only child (girl)
un **film** *nm* a film
**les films d'action** *nm* action films
**les films de science-fiction** *nm* science fiction films
un **fils** *nm* a son
**fils unique** *nm* an only child (boy)
la **fin** *nf* the end
**finalement** finally
**fini/finie** *adj* finished
**finir** *v* to finish
une **fleur** *nf* a flower
un/une **fleuriste** *nm/nf* a florist
la **FNAC** *nf* shop that sells DVDs, CDs, books, etc.
des **fois** sometimes
ils/elles **font** they make, do
le **foot(ball)** *nm* football
le **footballeur** *nm* footballer
en **forme** *adj* healthy
**formidable** *adj* great, fantastic
**fort/forte** *adj* strong
**fou/folle** *adj* mad
un **four** *nm* an oven
un **foyer** *nm* a home
**frais/fraîche** *adj* fresh
une **fraise** *nf* a strawberry
le **français** *nm* French
**français/française** *adj* French
**francophone** *adj* French-speaking
un **frère** *nm* a brother
un **frigo** *nm* a fridge
**frisé/frisée** *adj* curly
des **frites** *nf pl* chips
**froid/froide** *adj* cold
le **fromage** *nm* cheese
le **front** *nm* forehead
un **fruit** *nm* a fruit
les **fruits de mer** *nm pl* seafood

**gagner** *v* to win, to earn
une **galerie** *nf* a gallery
une **galette** *nf* a cake, a pancake
**la galette des Rois** *nf* special cake eaten on 6 January
**gallois/galloise** adj Welsh
un **garçon** *nm* a boy
une **gare SNCF** *nf* a railway station
un **gâteau** *nm* a cake
à **gauche de** on the left of
**gazeux/gazeuse** *adj*: **une boisson gazeuse** a fizzy drink
**geler** *v* to freeze
en **général** in general
le **général** *nm* general
**généralement** generally
**généreux/généreuse** *adj* generous
**génial/géniale** *adj* great, fantastic
des **gens** *nm pl* people
**gentil/gentille** *adj* nice
la **géographie** *nf* geography
un **geste** *nm* a gesture, a movement
une **glace** *nf* an ice cream
un **glossaire** *nm* a glossary
une **gomme** *nf* a rubber
un **goûter** *nm* an afternoon snack
un **gouvernement** *nm* a government
la **grammaire** *nf* grammar
un **gramme** *nm* a gram
**grand/grande** *adj* big, tall
la **Grande-Bretagne** *nf* Great Britain
une **grand-mère** *nf* a grandmother
un **grand-père** *nm* a grandfather
les **grands-parents** *nm pl* grandparents
**gras/grasse** *adj* fatty, greasy
**en gras** in bold
**gratuit/gratuite** *adj* free
une **grille** *nf* a grid
**grillé/grillée** *adj* grilled, toasted
**gris/grise** *adj* grey
**gros/grosse** *adj* plump, fat
une **guitare** *nf* a guitar
la **gym** *nf* gymnastics, exercises

un **habitant** *nm* an inhabitant
**habiter** *v* to live
un **hamburger** *nm* a hamburger
un **hamster** *nm* a hamster
le **hand-ball** *nm* handball
**haut/haute** *adj* high, tall
**à haute voix** aloud
un **héros** *nm* a hero
**hésiter** *v* to hesitate
une **heure** *nf* an hour
**à deux heures** at two o'clock
**heureux/heureuse** *adj* happy
un **hibou** *nm* an owl
**hier** yesterday
le **hindi** *nm* Hindi
l' **histoire** *nf* history
l' **hiver** *nm* winter
l' **hôpital** *nm* hospital
**horrible** *adj* terrible, awful
un **hot-dog** *nm* a hotdog
un **hôtel** *nm* a hotel
l' **huile d'olive** *nf* olive oil
**huit** eight
une **huître** *nf* an oyster
une **humeur** *nf* a mood, humour
**hystérique** *adj* hysterical

**ici** here
**idéal/idéale** *adj* ideal
une **idée** *nf* an idea
**identifier** *v* to identify
une **identité** *nf* an identity
**il** he, it
une **île** *nf* an island
**illustré/illustrée** *adj* illustrated
**il n'y a pas de/d'** there isn't/there aren't

# Glossaire

**ils** they
**il y a** there is/there are
une **image** *nf* a picture
**imaginer** *v* to imagine
un **imbécile** *nm* an imbecile, a fool
**imiter** *v* to imitate, copy
un **immeuble** *nm* a block of flats
**indiquer** *v* to show
un **infinitif** *nm* an infinitive
les **informations** *nf pl* information, the news
l' **informatique** *nf* computing, IT
les **infos** *nf pl* the news
**intelligent/intelligente** *adj* intelligent
**intéressant/intéressante** *adj* interesting
l' **Internet** *nm* the Internet
**interrogatif/interrogative** *adj* interrogative, question
**interviewer** *v* to interview
l' **intrus** *nm* the odd-one-out
une **invitation** *nf* invitation
un/une **invité/invitée** *nm/nf* a guest, a visitor
**inviter** *v* to invite
l' **Irlande** *nf* Ireland
**irlandais/irlandaise** adj Irish
**irrégulier/irrégulière** *adj* irregular
l' **Italie** *nf* Italy
**italien/italienne** *adj* Italian
l' **italien** *nm* Italian

## J

**j'** I
**j'ai** I have
**jamais** never
le **jambon** *nm* ham
**janvier** January
le **japonais** *nm* Japanese
un **jardin** *nm* a garden
le **jardinage** *nm* gardening
**jaune** *adj* yellow
**je** I
un **jean** *nm* a pair of jeans
une **jetée** *nf* a pier, a jetty
**jeter** *v* to throw
un **jeton** *nm* a counter
un **jeu** *nm* a game
**le jeu du morpion** *nm* noughts and crosses
**le jeu de sept familles** *nm* happy families
**un jeu de société** *nm* a board game
**jeudi** Thursday
**jeune** *adj* young
un/une **jeune** *nm/nf* a young person
les **jeux vidéo** *nm pl* video games
**joli/jolie** *adj* pretty
**jouer** *v* to play
un **jouet** *nm* a toy
un **jour** *nm* a day
**tous les jours** every day
le **jour des Rois** *nm* Epiphany
une **journée** *nf* a day
le **judo** *nm* judo
**juillet** July
**juin** June
un **jumeau** *nm* a twin
un **jus** *nm* a juice
**un jus d'orange** *nm* an orange juice
**jusqu'à** until
**juste** fair, just

le **kayak** *nm* kayaking, canoeing
un **kilo** *nm* a kilo
un **kilomètre** *nm* a kilometre
un **kiwi** *nm* a kiwi fruit

**l'** the
**la** the
**là** there
**là-bas** over there
un **lac** *nm* lake
le **lait** *nm* milk
**laisser** *v* to leave
une **lampe** *nf* a lamp
**lancer** *v* to throw
une **langue** *nf* a language
un **lapin** *nm* a rabbit
**laquelle** *f* which
**le** the
la **leçon** *nf* lesson
un **lecteur** *nm* a reader (male)
une **lectrice** *nf* a reader (female)
la **lecture** *nf* reading
la **légende** *nf* the key (to a map)
un **légume** *nm* a vegetable
les **lentilles** *nf pl* contact lenses
**lequel** *m* which
**les** the
une **lettre** *nf* a letter
**leur** their
**lever** *v* to lift, raise
se **lever** *v* to get up
une **limonade** *nf* a lemonade
**lire** *v* to read
une **liste** *nf* a list
une **liste d'achats** *nf* a shopping list
un **lit** *nm* a bed
un **litre** *nm* a litre
un **livre** *nm* a book
**loin** far
les **loisirs** *nm pl* leisure
**Londres** London
**long/longue** *adj* long
**lourd/lourde** *adj* heavy
**lui** him
**lundi** Monday
la **lune** *nf* moon
des **lunettes** *nf pl* glasses
le **lycée** *nm* sixth form college

**ma** my
**madame** Mrs, madam
**mademoiselle** Miss
un **magasin** *nm* a shop
un **magazine** *nm* a magazine
la **magie** *nf* magic
**mai** May
**mais** but
une **maison** *nf* a house
**à la maison** at home
une **majorité** *nf* a majority
**mal** badly
**ça va mal** things aren't going very well, I don't feel well
**malade** ill
**maman** *nf* mum, mummy
**mamie** *nf* granny
**manger** *v* to eat
un **mannequin** *nm* a model
un **marché** *nm* a market
**mardi** Tuesday
le **Mardi Gras** *nm* Shrove Tuesday
**marrant/marrante** *adj* funny
**marron** *adj* brown
**mars** March
**masculin/masculine** *adj* masculine
un **masque** *nm* a mask
un **match** *nm* a match
un **match de foot** *nm* a football match
les **mathématiques/maths** *nf pl* maths
une **matière** *nf* a subject
le **matin** *nm* morning
**mauvais/mauvaise** *adj* bad
**il fait mauvais** the weather's dull
la **mayonnaise** *nf* mayonnaise
**méchant/méchante** *adj* naughty, evil
**méfiant/méfiante** *adj* suspicious
**meilleur/meilleure** *adj* best
**mélanger** *v* to mix
un **membre** *nm* a member

même same, even
la **mémoire** *nf* memory
**mémoriser** *v* to memorise, learn by heart
**mentionné/mentionnée** *adj* mentioned
la **mer** *nf* the sea
**merci** thank you
**mercredi** Wednesday
une **mère** *nf* a mother
**mes** my
la **messe** *nf* Mass
la **météo** *nf* weather forecast
**mettre** *v* to put
un **meuble** *nm* an item of furniture
**miam! miam!** yum!
**midi** midday, lunchtime
le **miel** *nm* honey
un **milk-shake** *nm* a milkshake
un **mime** *nm* a mime
**mince** *adj* thin, slim
le **mini-golf** *nm* miniature golf
le **ministère** *nm* ministry
un **miroir** *nm* a mirror
un **modèle** *nm* a model
**moderne** *adj* modern
**moi** me
**moins** less
**au moins** at least
un **mois** *nm* a month
en ce **moment** at the moment
**mon** my
le **monde** *nm* the world
**tout le monde** everybody
**monsieur** Mr, sir
à la **montagne** in the mountains
une **montre** *nf* a watch
**montrer** *v* to show
une **moquette** *nf* a carpet
un **morceau** *nm* a piece
**mort/morte** *adj* dead
un **mot** *nm* a word
**un mot apparenté** *nm* a cognate
**un mot-clé** *nm* a key word
un **mouton** *nm* a sheep
**moyen/moyenne** *adj* average
un **mur** *nm* a wall
la **musculation** *nf* body-building
un **musée** *nm* a museum
la **musique** *nf* music

la **naissance** *nf* birth
la **natation** *nf* swimming
la **nationalité** *nf* nationality
la **nature** *nf* nature
**né/née** *adj* born
**négatif/négative** *adj* negative
la **neige** *nf* snow
il **neige** it's snowing
**neuf** nine
un **nez** *nm* a nose
le **Noël** *nm* Christmas
**noir/noire** *adj* black
un **nom** *nm* a name, noun
un **nombre** *nm* a number
**nombreux/nombreuse** *adj* numerous, many
**nommer** *v* to name
**non** no
le **nord** *nm* the north
**le nord-est** *nm* the north-east
**le nord-ouest** *nm* the north-west
**normalement** normally
**nos** our
**noter** *v* to note
**nous** we, us
**nouveau/nouvelle** *adj* new
**novembre** November
des **nuages** *nm pl* clouds
**nul** nil
**c'est nul** it's rubbish
un **numéro** *nm* a number, an edition (of a magazine)
**numéroter** *v* to number

un **objet** *nm* an object
**observer** *v* to observe
s' **occuper** *v* to look after
**octobre** October
un **œil** *nm* an eye
un **œuf** *nm* an egg
un **office de tourisme** *nm* tourist office
**officiel/officielle** *adj* official
une **offre** *nf* an offer
**offrir** *v* to offer, give as a present
un **oiseau** *nm* a bird
une **omelette** *nf* omelette
**on** we, they, one
un **oncle** *nm* an uncle
ils/elles **ont** they have
**onze** eleven
une **opinion** *nf* an opinion
**optimiste** *adj* optimistic
un **orage** *nm* a storm
une **orange** *nf* an orange
un **ordinateur** *nm* a computer
un **ordre** *nm* an order
**dans le bon ordre** in the right order
**organiser** *v* to organise
un **orphelin** *nm* an orphan
l' **orthographe** *nf* spelling
**ou** or
**où** where
**Ouah!** Wow!
**oublier** *v* to forget
l' **ouest** *nm* the west
**oui** yes
un **ouragan** *nm* a hurricane
**ouvert/ouverte** *adj* open
**ouvrir** *v* to open

la **page** *nf* page
le **pain** *nm* bread
une **paire** *nf* a pair
un **pamplemousse** *nm* a grapefruit
un **panier** *nm* a basket
la **panique** *nf* panic
**paniquer** *v* to panic
le **papier** *nm* paper
**Pâques** *nf pl* Easter
un **paquet** *nm* a packet
**par** by
un **paragraphe** *nm* paragraph
un **parc** *nm* a park
**parce que** because
**pardon** sorry
les **parents** *nm pl* parents
**paresseux/paresseuse** *adj* lazy
**parfois** sometimes
un **parfum** *nm* a perfume, flavour
**parler** *v* to talk
**parmi** among
une **part** *nf* a portion, slice
**partager** *v* to share
un/une **partenaire** *nm/nf* a partner
**participer** *v* to take part
**partir** *v* to leave
**partout** everywhere
**pas** not
**passer** *v* to spend time
un **passe-temps** *nm* a hobby
une **passion** *nf* a hobby
le **pâté** *nm* pâté
**patient/patiente** *adj* patient
le **patin à roulettes** *nm* roller-skate
le **patinage** *nm* ice-skating
une **patinoire** *nf* an ice rink
**pauvre** *adj* poor
un **pays** *nm* a country
le **pays de Galles** *nm* Wales
la **pêche** *nf* fishing
une **peinture** *nf* a painting
**pendant** during
une **pendule** *nf* a clock
**pénible** *adj* awful
**penser** *v* to think

# Glossaire

perdre *v* to lose
perdu/perdue *adj* lost
un père *nm* a father
un perroquet *nm* a parrot
une perruche *nf* a budgerigar
un personnage *nm* a character
la personnalité *nf* personality
une personne-mystère *nf* a mystery person
la pétanque *nf* type of bowls game
petit/petite *adj* small
le petit déjeuner *nm* breakfast
des petits pois *nm pl* peas
un peu *nm* a little
il/elle/on peut he/she/we can
ils/elles peuvent they can
je/tu peux I/you can
une pharmacie *nf* a chemist
une photo *nf* a photograph
une phrase *nf* a sentence
la physique *nf* physics
physiquement physically
une pièce *nf* a room, a coin
un pied *nm* a foot
le ping-pong *nm* table tennis
un pique-nique *nm* a picnic
une piscine *nf* a swimming pool
la pizza *nf* pizza
une pizzeria *nf* a pizzeria
une plage *nf* a beach
plaît: s'il te/vous plaît please
un plan *nm* a map
la planche à voile *nf* windsurfing
le plancher *nm* floor
le plat *nm* a meal/plate
plein/pleine *adj* full
en plein air outside
il pleut it's raining
plier *v* to bend
pluriel/plurielle *adj* plural
plus more
plusieurs several
un poème *nm* a poem
un poisson *nm* a fish
le poivre *nm* pepper
poli/polie *adj* polite
la police *nf* police
poliment politely
une pomme *nf* an apple
le porc *nm* pork
un port *nm* a harbour, a port
un portable *nm* a mobile phone
une porte *nf* a door
porter *v* to wear
poser *v* to put
positif/positive *adj* positive
la poste *nf* the post office
un poster *nm* a poster
une poule *nf* a chicken
un poulet *nm* a chicken
une poupée *nf* a doll
pour for
pourquoi why
pratique *adj* practical
préféré/préférée *adj* favourite
la préférence *nf* preference
préférer *v* to prefer
un préfet *nm* a prefect
premier/première *adj* first
prendre *v* to take
les préparatifs *nm pl* preparations
préparer *v* to prepare
près near
un/une présentateur/présentatrice *nm/f* a TV presenter
présenter *v* to present
presque nearly
le printemps *nm* spring
un prix *nm* a price
un problème *nm* a problem
prochain/prochaine *adj* next
proche close, near
un/une prof *nm/nf* a teacher
un professeur *nm* a teacher
un projet *nm* a project
une promenade *nf* a walk
prononcer *v* to pronounce
la prononciation *nf* pronunciation
propre *adj* clean
la prudence *nf* prudence, cautiousness
publicitaire advertising
une publicité *nf* an advertisement
puis then
la purée *nf* mashed potato

la qualité *nf* quality
quand when
une quantité *nf* a quantity
quarante forty
un quart *nm* a quarter
un quartier *nm* an area
quatorze fourteen
quatre four
quatre-vingts eighty
quatre-vingt-deux eighty-two
quatre-vingt-dix ninety
que that, what, which
québécois/québécoise *adj* from Quebec
quel/quelle which
quelque chose something
quelquefois sometimes
quelques some, a few
quelqu'un somebody
qu'est-ce que what
une question *nf* a question
qui who
quinze fifteen
quitter *v* to leave
quoi what
quotidien/quotidienne *adj* daily

le racisme *nm* racism
raconter *v* to tell
la radio *nf* radio
raide *adj* straight
raisonnable *adj* reasonable
ranger *v* to tidy, put away
râpé/râpée *adj* grated
un rappel *nm* a reminder
rapper *v* to rap
rapide quick
rassurer *v* to reassure
un rat *nm* a rat
rater *v* to miss (a bus)
la réception *nf* reception
rechercher *v* to look for
recopier *v* to copy out
le record *nm* record
la récréation *nf* breaktime
reculer *v* to move back
la rédaction *nf* editorial team
réécouter *v* to listen again
un refrain *nm* a chorus
regarder *v* to look, watch
un régime *nm* a diet
une région *nf* an area, a region
une règle *nf* a ruler, a rule
régulier/régulière *adj* regular
une reine *nf* a queen
relaxer *v* to relax
relier *v* to join
la religion *nf* religion, RE
relis reread
remets put back
remplir *v* to fill in
un renard *nm* a fox
un rendez-vous *nm* a meeting, a date
les renseignements *nm pl* information
la rentrée *nf* back to school time (September)
rentrer *v* to return
un repas *nm* a meal
répéter *v* to repeat
répondre *v* to answer, to reply
une réponse *nf* an answer
un reportage *nm* a report
reposant/reposante *adj* restful

| | |
|---|---|
| | **ressembler** *v* to look like |
| un | **restaurant** *nm* a restaurant |
| | **rester** *v* to stay |
| un | **résultat** *nm* a result |
| en | **retard** late |
| | **retrouver** *v* to meet |
| une | **réunion** *nf* a meeting |
| un | **rêve** *nm* a dream |
| se | **réveiller** *v* to get up |
| | **rêveur/rêveuse** *adj* dreamy |
| | **réviser** *v* to revise |
| au | **revoir** goodbye |
| | **revoir** *v* to see again |
| le | **rez-de-chaussée** *nm* ground floor |
| des | **rideaux** *nm pl* curtains |
| | **rien** nothing |
| | **rigolo** *adj* funny |
| le | **riz** *nm* rice |
| un | **roi** *nm* a king |
| | **rond/ronde** *adj* round |
| | **rose** *adj* pink |
| un | **rôti** *nm* a roast |
| | **rouge** *adj* red |
| une | **route** *nf* road, route |
| | **roux/rousse** *adj* red-haired |
| une | **rue** *nf* a street |
| le | **rugby** *nm* rugby |

| | |
|---|---|
| | **sa** his, her |
| un | **sac** *nm* a bag |
| un | **sac à dos** *nm* a rucksack |
| la | **Saint-Valentin** *nf* Valentine's Day |
| je/tu | **sais** I/you know |
| une | **saison** *nf* a season |
| il/elle/on | **sait** he/she knows, we know |
| une | **salade** *nf* a salad, a lettuce |
| une | **salle** *nf* a room |
| une | **salle à manger** *nf* a dining room |
| une | **salle de bains** *nf* a bathroom |
| une | **salle de gym** *nf* a gym |
| une | **salle de jeux** *nf* a games room |
| un | **salon** *nm* a living room |
| un | **salon de thé** *nm* a tea room |
| | **saluer** *v* to greet |
| | **salut** hello |
| | **samedi** Saturday |
| un | **sandwich** *nm* a sandwich |
| | **un sandwich au fromage** *nm* a cheese sandwich |
| | **un sandwich au jambon** *nm* a ham sandwich |
| | **sans** without |
| | **s'appeler** *v* to be called |
| | **sauter** *v* to fry |
| les | **sciences** *nf pl* science |
| | **scolaire** *adj* school |
| une | **séance** *nf* a performance, a meeting |
| | **secouer** *v* to shake |
| le | **secours** *nm* help, aid |
| Au | **secours!** Help! |
| | **sec/sèche** *adj* dry |
| | **seize** sixteen |
| un | **séjour** *nm* a living room |
| le | **sel** *nm* salt |
| une | **semaine** *nf* a week |
| le | **Sénégal** *nm* Senegal |
| | **sénégalais/sénégalaise** *adj* Senegalese |
| | **sept** seven |
| | **septembre** September |
| une | **série** *nf* a series |
| | **sérieux/sérieuse** *adj* serious |
| un | **serpent** *nm* a snake |
| | **servir** *v* to serve |
| | **ses** his, her |
| | **seulement** only |
| | **si** if |
| un | **siècle** *nm* a century |
| un | **signe particulier** *nm* feature |
| | **silencieux/silencieuse** *adj* silent |
| | **simple** *adj* simple |
| | **singulier/singulière** *adj* singular |
| un | **site Internet** *nm* a website |
| | **six** six |
| | **sixième** *adj* sixth |
| le | **skate** *nm* skateboarding, skateboard |
| le | **ski** *nm* skiing |
| une | **sœur** *nf* a sister |
| la | **soif** *nf* thirst |
| | **j'ai soif** I'm thirsty |
| un | **soir** *nm* an evening |
| | **soixante** sixty |
| | **soixante-dix** seventy |
| le | **soleil** *nm* sun |
| nous | **sommes** we are |
| | **son** his, her |
| un | **sondage** *nm* a survey |
| ils/elles | **sont** they are |
| une | **sortie** *nf* an outing, an exit |
| | **sortir** *v* to go out |
| | **souligné/soulignée** *adj* underlined |
| une | **soupe** *nf* a soup |
| une | **souris** *nf* a mouse |
| | **sous** under |
| le | **sous-sol** *nm* basement |
| | **souvent** often |
| les | **spaghetti** *nm pl* spaghetti |
| | **spécial/spéciale** *adj* special |
| la | **spécialité** *nf* speciality |
| un | **spectacle** *nm* a show |
| le | **sport** *nm* sport |
| | **sportif/sportive** *adj* sporty |
| un | **stade** *nm* a stadium |
| une | **star** *nf* a star/celebrity |
| un | **steak-frites** *nm* steak and chips |
| | **studieux/studieuse** *adj* studious |
| un | **stylo** *nm* a pen |
| le | **sucre** *nm* sugar |
| le | **sucre en poudre** *nm* caster sugar |
| | **sucré/sucrée** *adj* sweet |
| le | **sud** *nm* the south |
| le | **sud-est** *nm* the south-east |
| le | **sud-ouest** *nm* the south-west |
| je | **suis** I am |
| la | **Suisse** *nf* Switzerland |
| | **suisse** *adj* Swiss |
| | **suivant/suivante** *adj* following |
| un | **sujet** *nm* a subject |
| | **super** great |
| un | **supermarché** *nm* a supermarket |
| | **sur** on |
| | **sûr/sûre** *adj* sure, certain |
| | **surfer** *v* to surf |
| | **surtout** especially |
| | **sympa** *adj* kind, nice |
| un | **symptôme** *nm* a symptom |

| | |
|---|---|
| | **ta** your |
| une | **table** *nf* a table |
| un | **tableau** *nm* a board, a picture |
| une | **table de chevet** *nf* a bedside table |
| un | **tableau blanc** *nm* a whiteboard |
| une | **tache de rousseur** *nf* freckle |
| la | **taille** *nf* size |
| un | **taille-crayon** *nm* a pencil sharpener |
| un | **tambour** *nm* a drum |
| une | **tante** *nf* an aunt |
| un | **tapis** *nm* a rug |
| | **tard** *adj* late |
| une | **tarte** *nf* a tart, a pie |
| une | **tartine** *nf* a slice of bread and butter |
| une | **tasse** *nf* a cup |
| | **tâter** *v* to feel |
| la | **technologie** *nf* technology, D&T |
| le | **téléphone** *nm* the telephone |
| la | **télé(vision)** *nf* TV, television |
| | **à la télévision** on television |
| le | **temps** *nm* the weather, time |
| de | **temps en temps** from time to time |
| le | **tennis** *nm* tennis |
| les | **tennis** *nm pl* trainers |
| | **tendre** *adj* tender |
| | **terminer** *v* to finish, to end |
| la | **terreur** *nf* terror |
| | **terrifiant/terrifiante** *adj* terrifying |

# Glossaire

tes your
le **test de mémoire** *nm* memory test
**têtu/têtue** *adj* stubborn
un **texte** *nm* a text
le **TGV** *nm* French high-speed train
un **thé** *nm* a cup of tea
un **théâtre** *nm* a theatre
le **thon** *nm* tuna
un **ticket de loterie** *nm* a lottery ticket
**timide** *adj* shy
un **titre** *nm* a title
**toi** you
les **toilettes** *nf pl* the toilets
une **tomate** *nf* a tomato
**tomber** *v* to fall
**ton** your
**toucher** *v* to touch
**toujours** always
un **tour** *nm* a trip
une **tour** *nf* a tower
à **tour de rôle** in turn
un **touriste** *nm* tourist
**touristique** *adj* for tourists
**tourner** *v* to turn
**tous** all
**tout/toute** all
une **traduction** *nf* a translation
une **tranche** *nf* a slice
le **travail** *nm* work
**travailler** *v* to work
**travailleur/travailleuse** *adj* hard-working
**traverser** *v* to cross
**treize** thirteen
**trembler** *v* to tremble
**trente** thirty
**très** very
**triste** *adj* sad
**trois** three
**le trois mai** the third of May
**troisième** *adj* third
**trop** too
une **trousse** *nf* a pencil-case
**trouver** *v* to find
**tu** you (to a friend or close relative)
**typique** *adj* typical

**un/une** a, an, one
une **unité** *nf* a unit
l' **univers** *nm* universe
**utiliser** *v* to use

il/elle/on **va** he/she goes, we go
les **vacances** *nf pl* holidays
je **vais** I go
la **vanille** *nf* vanilla
tu **vas** you go
une **vedette** *nf* a star
un **vélo** *nm* a bike
le **vélo** *nm* cycling
**vendredi** Friday
**venir** *v* to come
le **vent** *nm* wind
un **verbe** *nm* a verb
**vérifier** *v* to check
un **verre** *nm* a glass
**vert/verte** *adj* green
les **vêtements** *nm pl* clothes
il/elle/on **veut** he/she wants, we want
je **veux** I want
la **viande** *nf* meat
une **vidéo** *nf* a video
**vieux/vieille** *adj* old
un **village** *nm* a village
une **ville** *nf* a town
**en ville** in town, into town
le **vin** *nm* wine
**vingt** twenty
**violent/violente** *adj* violent
une **visite** *nf* a visit
**visiter** *v* to visit
**vite** quick
**vivre** *v* to live
le **vocabulaire** *nm* vocabulary
**voici** here is, are
**voilà** there is, are
la **voile** *nf* sailing
**voir** *v* to see
un/une **voisin/voisine** *nm/nf* a neighbour
une **voiture** *nf* a car
une **voix** *nf* a voice
à haute **voix** aloud
**voler** *v* to steal
**vomir** *v* to be sick
ils/elles **vont** they go
**vos** your
**votre** your
je/tu **voudrais** I/you would like
il/elle/on **voudrait** he/she/we would like
**vous** you (to an adult you don't know well, or to more than one person)
un **voyage** *nm* a journey
une **voyelle** *nf* a vowel
**vrai/vraie** *adj* true
**vraiment** really

le **week-end** *nm* the weekend

un **yaourt** *nm* a yoghurt
les **yeux** *nm pl* eyes

**a** un/une
**a little bit** un peu
**afternoon** l'après-midi *nm*
**afternoon tea** le goûter nm
**Algeria** l'Algérie *nf*
**Algerian** algérien/algérienne *adj*
**also** aussi
**always** toujours
I **am** je suis
I **am (11).** J'ai (11) ans.
**and** et
**animal(s)** un animal (les animaux) *nm*
**apple** une pomme *nf*
**April** avril
**Are there...?** Il y a...?
you **are** tu es *(to a friend or relative)*, vous êtes *(to more than one person, someone you don't know)*
**art** le dessin *nm*
**at** à
**at the weekends** le week-end
**athletics** l'athlétisme *nm*
**August** août
**aunt** la tante *nf*
**autumn** l'automne *nm*

**bag** le sac *nm*
**balcony** *le balcon nm*
**basement** le sous-sol *nm*
**bathroom** la salle de bains *nf*
to **be** être *v*
**beach** la plage *nf*
**because** parce que
**bed** le lit *nm*
**bedroom** la chambre *nf*
**bedside table** *une table de chevet nf*
**behind** derrière
**between... (and...)** entre... (et ...)
**big** grand/grande *adj*
**biology** la biologie *nf*
**birthday** l'anniversaire *nm*
**biscuit** un biscuit *nm*
a little **bit** un peu
**black** noir/noire *adj*
**block of flats** un immeuble *nm*
**blond** blond/blonde *adj*
**blue** bleu/bleue *adj*
**book** le livre *nm*
**bookshelf** l'étagère *nf*
**boring** pas marrant
**bottle** une bouteille *nf*
**brave** courageux/courageuse *adj*
**to break** *casser v*
**breaktime** la récréation *nf*
**brother** un frère *nm*
**brown** brun/brune *(hair) adj*, marron *(eyes) adj*
**budgie** une perruche *nf*
**bus** le bus *nm*
**but** mais
**butter** le beurre *nm*

**café** le café *nm*
**cafeteria** *une cafétéria nf*
**cake** le gâteau *nm*
**calculator** la calculatrice *nf*
I am **called** je m'appelle
you are **called** tu t'appelles
**Canada** le Canada *nm*
**carpet** *la moquette nf*
**carrots** les carottes *nf pl*
**cat** un chat *nm*
**cellar** la cave *nf*
**centre** le centre *nm*
**chair** la chaise *nf*
**cheese** le fromage *nm*
**chemist** *une pharmacie nf*
**chemistry** la chimie *nf*
**cherry** *une cerise nf*
**chest of drawers** la commode *nf*
**chicken** le poulet *nm*
**church** l'église *nf*
**cinema** le cinéma *nm*
It is **cloudy.** Il fait gris./Il y a des nuages.
**coffee** le café *nm*
**coke** le coca *nm*
It is **cold.** Il fait froid.
**colour** la couleur *nf*
**computer** l'ordinateur *nm*
**colourful** coloré/colorée *adj*
**country** le pays *nm*
**cousin (boy)** le cousin *nm*
**cousin (girl)** la cousine *nf*
**crisps** les chips *nf pl*
**cucumber** le concombre *nm*
**curly** frisé/frisée *adj*
**curtains** *les rideaux nm pl*
**cushion** le coussin *nm*
**cycling** le vélo *nm*
to go **cycling** faire *v* du vélo

**dancing** la danse *nf*
**December** décembre
**desk** le bureau *nm*
**dictionary** le dictionnaire *nm*
**difficult** difficile *adj*
**dining room** la salle à manger *nf*
**dinner** le dîner *nm*
to **do** faire *v*
**Do you have ...?** Tu as ...? *(to a friend or relative)*, Vous avez...? *(to more than one person, someone you don't know well)*
**dog** le chien *nm*
**drama** l'art dramatique *nm*
to **drink** boire *v*

**east** l'est *nm*
to **eat** manger *v*
**eggs** les œufs *nm pl*
**eight** huit
**eighteen** dix-huit
**eighty** quatre-vingts
**eleven** onze
**England** l'Angleterre *nf*
**English** anglais/anglaise *adj*
(in the) **evening** le soir *nm*
**exercise book** le cahier *nm*
**eyes** les yeux *nm pl*

F

**false** faux/fausse *adj*
**farm** une ferme *nf*
**father** le père *nm*
**fast food restaurant** *le fast food nm*
**favourite** préféré/préférée
**February** février
**felt-tip pens** les feutres *nm pl*
**fifteen** quinze
**fifty** cinquante
**file** un classeur *nm*
to **finish** finir *v*
**first** le premier *nm/la première nf*
on the **first floor** au premier étage
**fish** le poisson *nm*
**fishing** la pêche *nf*
**five** cinq
**flag** le drapeau *nm*
**flat** un appartement *nm*
**floor** *le plancher nm*
It is **foggy.** Il y a du brouillard.
**football** le foot(ball) *nm*
**for** pour
**foreign** étranger/étrangère *adj*
to **forget** oublier *v*
**forty** quarante
**four** quatre
**fourteen** quatorze
**France** la France *nf*

# Glossary

It is **freezing.** Il gèle.
**French** français/française *adj*
(on) **Friday** vendredi
**friend (male)** un ami/un copain *nm*
**friend (female)** une amie/une copine *nf*
**friends** les amis; les copains *nm pl*
in **front of** devant
**fun** amusant/amusante *adj*
**funny** marrant/marrante *adj*

**games console** une console *nf*
a **games room** une salle de jeux *nf*
**garage** *un garage nm*
**garden** le jardin *nm*
**generally** généralement; en général
**generous** généreux/généreuse *adj*
**geography** la géographie *nf*
**German** l'allemand *nm*
**ginger(-haired)** roux/rousse *adj*
**glass** un verre *nm*
**glue stick** un bâton de colle *nm*
to **go** aller *v*
**goldfish** un poisson rouge *nm*
**golf** le golf *nm*
**goodbye** au revoir; salut
**gram** un gramme *nm*
**grandfather** le grand-père *nm*
**grandmother** la grand-mère *nf*
**grandparents** les grands-parents *nm pl*
**Great!** Super! Génial!
**green** vert/verte *adj*
**grey** gris/grise *adj*
on the **ground floor** au rez-de-chaussée
**guinea pig** le cochon d'Inde *nm*
**gym** *une salle de gym nf*

**hair** les cheveux *nm pl*
**half** demi/demie *adj*
**half-brother** le demi-frère *nm*
**half-sister** la demi-sœur *nf*
**ham** le jambon *nm*
**hamburger** un hamburger *nm*
**hamster** un hamster *nm*
**Happy birthday!** Bon anniversaire!
**harbour** le port *nm*
**hard** difficile *adj*
**hard-working** travailleur/travailleuse *adj*
he/she **has** il/elle a
to **hate** détester *v*
to **have** avoir *v*
I **have** j'ai ...
I don't **have** je n'ai pas ...
they **have** ils/elles ont
we **have (informal)** on a
we **have (formal)** nous avons
you **have (informal)** tu as
you **have (formal)** vous avez
**Have you got any pets (at home)?** Tu as un animal (chez toi)?
**he** il
**he is ...** il est ...
**Hello** Bonjour
**her** son/sa/ses
**here is/here are ...** voici ...
**Here it is!** Voilà!
**Hi!** Salut!
**his** son/sa/ses
**history** l'histoire *nf*
**hobbies** les passe-temps *nm pl*
to do **homework** faire *v* les devoirs
**horse(s)** le cheval (les chevaux) *nm*
to go **horse riding** faire *v* de l'équitation
**hot** chaud/chaude *adj*
It is **hot.** Il fait chaud.
**hot chocolate** le chocolat chaud *nm*
**hour** une heure *nf*
**house** la maison *nf*
**How are you?** Ça va?
**How much?** Combien?
**How old are you?** Tu as quel âge? *(to a friend or relative)*, Vous avez quel âge? *(to more than one person, someone you don't know well)*

**I** je, j'
**I am ...** je suis ...
**I am (11).** J'ai (11) ans.
**I don't have ...** je n'ai pas de ...
**I don't like** je n'aime pas
**I hate** je déteste
**I have ...** j'ai ...
**I like** j'aime
**I live in (town)** j'habite à ...
**I love** j'adore
**I'd like** je voudrais
**I'm fine.** Ça va.
**I'm sorry.** Je suis désolé/désolée.
**ice hockey** le hockey sur glace *nm*
**ice-skating** le patinage *nm*
**ice cream** la glace *nf*
**ICT** l'informatique *nf*
**in (France)** en (France)
**in (my bag)** dans (mon sac)
**in front of** devant
**in the country** à la campagne
**in the suburbs** en banlieue
**in town** en ville
**intelligent** intelligent/intelligente *adj*
**interesting** intéressant/intéressante *adj*
**Internet** l'Internet *nm*
**Ireland** l'Irlande *nf*
**Irish** *irlandais/irlandaise adj*
**Is there ...?** Il y a ...?
**it** ça
**It's ...** C'est ...
**It's a ...** C'est un/une ...
**It's (two) o'clock.** Il est (deux) heures.
**It's five past (two).** Il est (deux) heures cinq.
**It's five to (two).** Il est (deux) heures moins cinq.
**It's OK.** Bof. Ça va.
**It's spelt ...** Ça s'écrit ...

**jam** la confiture *nf*
**January** janvier
**July** juillet
**June** juin

**kilo** un kilo *nm*
**kitchen** la cuisine *nf*

**lamp** une lampe *nf*
**last weekend** le week-end dernier
**lazy** paresseux/paresseuse *adj*
to **leave** laisser *v*
on the **left of** à gauche de
**lemon** un citron *nm*
**lemonade** la limonade *nf*
**lesson** un cours *nm*
**library** la bibliothèque *nf*
I **like ...** J'aime ...
I don't **like ...** Je n'aime pas ...

to **listen to music** écouter *v* de la musique
to **live** habiter
**living room** le salon *nm*
**long** long/longue *adj*
to **look at** regarder *v*
**lots of** beaucoup de
I **love ...** J'adore ...
**lunch** le déjeuner *nm*

**Madam** Madame
to **make** faire *v*
**March** mars
**maths** les maths *nf pl*
**May** mai
**meal** un plat *nm*
**Me too.** Moi aussi.
to **meet friends** retrouver *v* des amis
**memory stick** une clé USB *nf*
**midday** midi
**milk** le lait *nm*
**milk shake** un milk-shake *nm*
**mineral water** l'eau minérale *nf*
**mirror** *un miroir nm*
**Miss** Mademoiselle
to **mix** mélanger *v*
(on) **Monday** lundi
**morning** le matin *nm*
**mother** la mère *nf*
**mouse** la souris *nf*
**Mr** Monsieur
**Mrs** Madame
**museum** le musée *nm*
**music** la musique *nf*
**my** mon/ma/mes
**My birthday's on ...** Mon anniversaire, c'est le ...
at **my house** chez moi
**My name is ...** Je m'appelle ...

**name** le nom *nm*
**nice** sympa *adj*
**nine** neuf
**nineteen** dix-neuf
**ninety** quatre-vingt-dix
**no** non
**no, thank you** non, merci
**north** le nord *nm*
**November** novembre

**October** octobre
**of** de
**OK** d'accord
**on** sur
**one** un/une
**one hundred** cent
**only child (female)** fille unique *nf*
**only child (male)** fils unique *nm*
**opinion** l'opinion *nf*
**or** ou
**orange (fruit)** une orange *nf*
**orange (colour)** orange *adj*
**orange juice** un jus d'orange *nm*

**packet** un paquet *nm*
**pancake** une crêpe *nf*
**pancake house** une crêperie *nf*
**parents** les parents *nm pl*
**park** le parc *nm*
**pâté** le pâté *nm*
**patient** patient/patiente *adj*
**PE** l'EPS *nf*, le sport *nm*
**peas** les petits pois *nm pl*
**pen** un stylo *nm*
**pencil** un crayon *nm*
**pencil case** une trousse *nf*
**pencil sharpener** un taille-crayon *nm*
**pepper** *le poivre nm*
**physics** la physique *nf*
**pineapple** *l'ananas nm*
**pink** rose *adj*
**pizza** la pizza *nf*
**pizzeria** *la pizzeria nf*
to **play sport** faire *v* du sport
**please** s'il te plaît *(to a friend or relative)*, s'il vous plaît *(to more than one person, someone you don't know well)*

It's **quarter past (two).** Il est (deux) heures et quart.
It's **quarter to (three).** Il est (trois) heures moins le quart.
**quick** rapide *adj*
**quiet** calme *adj*
**quite** assez

**rabbit** un lapin *nm*
**railway station** la gare SNCF *nf*
It's **raining.** Il pleut.
**RE** la religion *nf*
**reading** la lecture *nf*
**really** vraiment
**red** rouge *adj*
on the **right of** à droite de
to go **rock climbing** faire de l'escalade
**rubber** une gomme *nf*
**rug** le tapis *nm*
**rugby** le rugby *nm*
**ruler** une règle *nf*

to go **sailing** faire *v* de la voile
**salt** le sel *nm*
**sandwich** un sandwich *nm*
(on) **Saturday** samedi
high **school** le collège *nm*
**science** les sciences *nf pl*
**scissors** les ciseaux *nm pl*
**Scotland** l'Écosse *nf*
**seafood** *les fruits de mer nm pl*
on the **second floor** au deuxième étage
the **second (of May)** le deux (mai)
**See you soon.** À bientôt.
**selfish** égoïste *adj*
**sensible** sérieux/sérieuse *adj*
**September** septembre
**seven** sept
**seventeen** dix-sept
**seventy** soixante-dix
**she** elle
**she is ...** elle est ...
**shelf** une étagère *nf*
**short (hair)** (les cheveux) courts *adj*
**shy** timide *adj*
**Sir** Monsieur
**sister** une sœur *nf*
**sitting room** le salon *nm*
**six** six
**sixteen** seize
**sixty** soixante
to go **skateboarding** faire *v* du skate
**slice** une tranche *nf*
**slim** mince *adj*
**small** petit/petite *adj*
**snake** un serpent *nm*
It's **snowing.** Il neige.
**some** des
**sometimes** quelquefois
**soup** la soupe *nf*
**south** le sud *nm*
**Spanish** l'espagnol *nm*
It's **spelt ...** Ça s'écrit ...
to do **sport** faire *v* du sport
**sports centre** le centre sportif *nm*
**sporty** sportif/sportive *adj*

# Glossary

spring le printemps *nm*
to **start** commencer *v*
(railway) **station** la gare *nf*
to **steal** voler *v*
**step-brother** le demi-frère *nm*
**step-father** le beau-père *nm*
**step-mother** la belle-mère *nf*
**step-sister** la demi-sœur *nf*
It's **stormy.** Il y a de l'orage.
**straight (hair)** (les cheveux) raides *adj*
**suburbs** la banlieue *nf*
**sugar** le sucre *nm*
**summer** l'été *nm*
**sun** le soleil *nm*
(on) **Sunday** dimanche
It's **sunny.** Il y a du soleil.
**super** super
**supermarket** le supermarché *nm*
to go **surfing** faire *v* du surf
to go **swimming** faire *v* de la natation *nf*
**swimming pool** la piscine *nf*

**table tennis** le ping-pong *nm*
to **take** prendre *v*
**tall** grand/grande *adj*
**tea (with milk)** le thé (au lait) *nm*
**teacher** le professeur *nm*
a **tea room** un salon de thé *nm*
**technology** la technologie *nf*
**teeth** *les dents nf pl*
**ten** dix
**tennis** le tennis *nm*
It's **terrible.** C'est nul.
**thank you** merci
**the** le/la/les
**there are ...** il y a ...
**there aren't any ...** il n'y a pas de ...
**there is ...** il y a ...
**there isn't any ...** il n'y a pas de ...
**they** ils/elles
on the **third floor** au troisième étage
on the **third (of May)** le trois (mai)
**thirteen** treize
**thirty** trente
**three** trois
(on) **Thursday** jeudi
**tin** une boîte *nf*
**tiring** fatigant/fatigante *adj*
**to** à
**today** aujourd'hui
**toilet** les toilettes *nf pl*
**tomato** une tomate *nf*
**tortoise** une tortue *nf*
**tourist office** l'office de tourisme *nm*
**town** la ville *nf*
**town centre** le centre-ville *nm*
**true** vrai/vraie *adj*
(on) **Tuesday** mardi
**tuna** le thon *nm*
**TV** la télé(vision) *nf*
**twelve** douze
**twenty** vingt
**twenty-one** vingt et un
**two** deux

**uncle** un oncle *nm*
**under** sous
**USB stick** une clé USB *nf*

**very** très
**village** un village *nm*
**volleyball** le volley-ball *nm*

**Wales** le pays de Galles *nm*
**wardrobe** une armoire *nf*
to **watch (TV)** regarder *v* (la télé)
**water** l'eau *nf*
**water-skiing** le ski nautique *nm*
**we** on *(informal)*, nous *(formal)*
**weather** le temps *nm*
**website** *un site Internet nm*
(on) **Wednesday** mercredi
**week** la semaine *nf*
**well** bien
**well-built** gros/grosse *adj*
**Welsh** *gallois/galloise adj*
**west** l'ouest *nm*
**What ...?** Qu'est-ce que ...?
**What about you?** Et toi?
**What is ... like?** Comment est ...?
**What is there in ...?** Qu'est-ce qu'il y a à ...?
**What's your name?** Tu t'appelles comment?
**When?** Quand?
**Where?** Où?
**Where are ...?** Où sont ...?
**Where do you live?** Tu habites où?
**Where is ...?** Où est ...?
**Which ...?** Quel ...?/Quelle ...?
**white** blanc/blanche *adj*
**whiteboard** *un tableau blanc nm*
**Who?** Qui?
**Why?** Pourquoi?
**window** une fenêtre *nf*
to go **windsurfing** faire *v* de la planche à voile
It's **windy** Il y a du vent.
**winter** l'hiver *nm*
I **would like ...** Je voudrais ...

**yellow** jaune *adj*
**yes** oui
**yesterday** hier
**you** tu *(to a friend or relative)*, vous *(to more than one person, someone you don't know well)*
**you are ...** tu es ...; vous êtes ...
**your** ton/ta/tes
at **your house** chez toi
**youth club** le club des jeunes *nm*

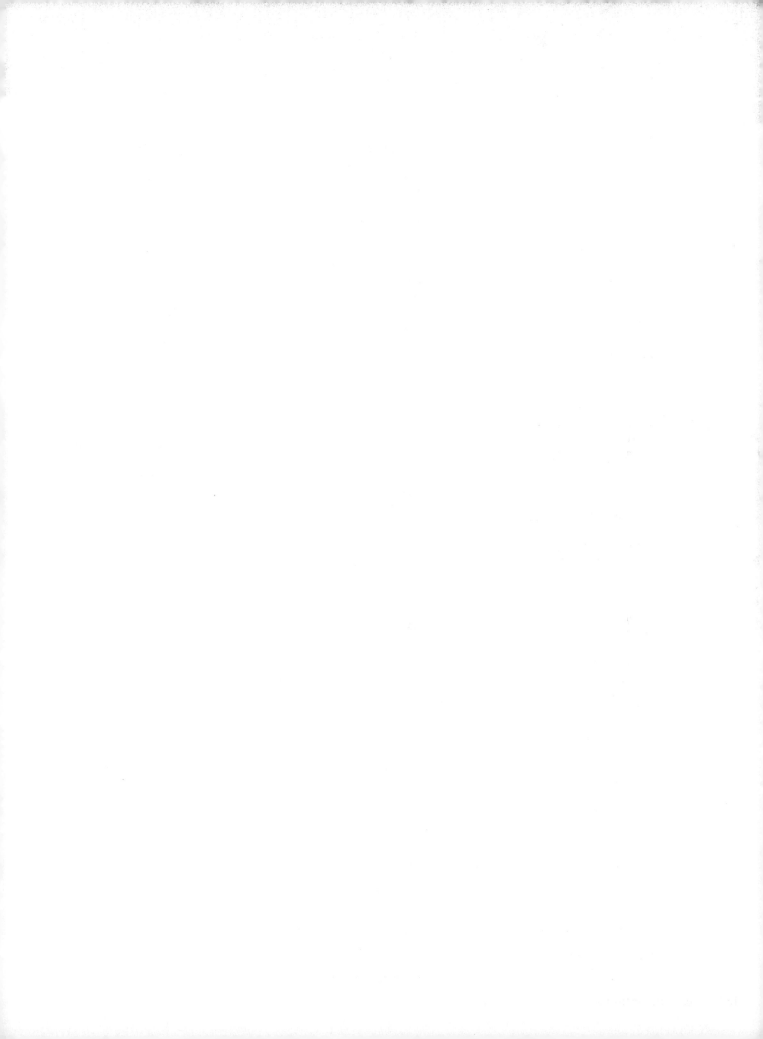